中国电子信息工程科技发展研究

# 操作系统专题

中国信息与电子工程科技发展战略研究中心

U0262748

科学出版社
北京

## 内 容 简 介

本书旨在分析国内外操作系统领域的前沿发展情况，重点阐述近几年操作系统领域的重要突破和标志性成果，集中展现我国在相关方向的新进展、新特点和新趋势，为我国科技人员准确把握操作系统领域的发展态势提供参考，为我国制定操作系统方面的发展战略提供支撑。本书分为五个部分，对操作系统领域的关键概念技术、全球发展态势、我国发展现状、我国热点亮点、未来发展展望等方面展开具体探讨。同时包含了科技前沿技术研究成果、部分产业发展现状及其趋势研究。

本书对国家不同层面和不同领域的各界专家学者、工程科技管理人才、科研工作者、高校相关专业学生的工作和学习具有较高的参考价值。

**图书在版编目（CIP）数据**

中国电子信息工程科技发展研究. 操作系统专题/中国信息与电子工程科技发展战略研究中心编著. —北京：科学出版社，2023.3
ISBN 978-7-03-075029-7

Ⅰ. ①中… Ⅱ. ①中… Ⅲ. ①电子信息-信息工程-科技发展-研究-中国 ②操作系统-科技发展-研究-中国 Ⅳ. ①G203 ②TP316

中国国家版本馆 CIP 数据核字（2023）第 036192 号

责任编辑：赵艳春 / 责任校对：胡小洁
责任印制：吴兆东 / 封面设计：迷底书装

科 学 出 版 社 出版

北京东黄城根北街 16 号
邮政编码：100717
http://www.sciencep.com

**北京虎彩文化传播有限公司** 印刷

科学出版社发行 各地新华书店经销
*

2023 年 3 月第 一 版 开本：890×1240 A5
2023 年 3 月第一次印刷 印张：3 5/8
字数：87 000
**定价：88.00 元**
（如有印装质量问题，我社负责调换）

# 《中国电子信息工程科技发展研究》指导组

## 《中国电子信息工程科技发展研究》工作组

组　长：
　　　　余少华　　陆　军

副组长：
　　　　张洪天　　党梅梅　　曾倬颖

国家高端智库

中国信息与电子工程科技发展战略研究中心
CHINA ELECTRONICS AND INFORMATION STRATEGIES

# 中国信息与电子工程科技
# 发展战略研究中心简介

中国工程院是中国工程科学技术界的最高荣誉性、咨询性学术机构，是首批国家高端智库试点建设单位，致力于研究国家经济社会发展和工程科技发展中的重大战略问题，建设在工程科技领域对国家战略决策具有重要影响力的科技智库。当今世界，以数字化、网络化、智能化为特征的信息化浪潮方兴未艾，信息技术日新月异，全面融入社会生产生活，深刻改变着全球经济格局、政治格局、安全格局，信息与电子工程科技已成为全球创新最活跃、应用最广泛、辐射带动作用最大的科技领域之一。为做好电子信息领域工程科技类发展战略研究工作，创新体制机制，整合优势资源，中国工程院、中央网信办、工业和信息化部、中国电子科技集团加强合作，于 2015 年 11月联合成立了中国信息与电子工程科技发展战略研究中心。

中国信息与电子工程科技发展战略研究中心秉持高层次、开放式、前瞻性的发展导向，围绕电子信息工程科技发展中的全局性、综合性、战略性重要热点课题开展理论研究、应用研究与政策咨询工作，充分发挥中国工程院院士、国家部委、企事业单位和大学院所中各层面专家学者的智力优势，努力在信息与电子工程科技领域建设一流的战略思想库，为国家有关决策提供科学、前瞻和及时的建议。

# 《中国电子信息工程科技发展研究》
## 编写说明

当今世界，以数字化、网络化、智能化为特征的信息化浪潮方兴未艾，信息技术日新月异，全面融入社会经济生活，深刻改变着全球经济格局、政治格局、安全格局。电子信息工程科技作为全球创新最活跃、应用最广泛、辐射带动作用最大的科技领域之一，不仅是全球技术创新的竞争高地，也是世界各主要国家推动经济发展、谋求国家竞争优势的重要战略方向。电子信息工程科技是典型的"使能技术"，几乎是所有其他领域技术发展的重要支撑，电子信息工程科技与生物技术、新能源技术、新材料技术等交叉融合，有望引发新一轮科技革命和产业变革，给人类社会发展带来新的机遇。电子信息工程科技作为最直接、最现实的工具之一，直接将科学发现、技术创新与产业发展紧密结合，极大地加速了科学技术发展的进程，成为改变世界的重要力量。电子信息工程科技也是新中国成立 70年来特别是改革开放 40 年来，中国经济社会快速发展的重要驱动力。在可预见的未来，电子信息工程科技的进步和创新仍将是推动人类社会发展的最重要的引擎之一。

把握世界科技发展大势，围绕科技创新发展全局和长远问题，及时为国家决策提供科学、前瞻性建议，履行好国家高端智库职能，是中国工程院的一项重要任务。为此，中国工程院信息与电子工程学部决定组织编撰《中国电子信息工程科技发展研究》(以下简称"蓝皮书")。2018 年9 月至今，编撰工作由余少华、陆军院士负责。"蓝皮书"分综合篇和专题篇，分期出版。学部组织院士并动员各方面专家 300 余人参与编撰工作。"蓝皮书"编撰宗旨是：分析研究电子信息领域年度科技发展情况，综合阐述国内外年度电子信息领域重要突破及标志性成果，为我国科技人员准确把握电子信息领域发展趋势提供参考，为我国制定电子信息科技发展战略提供支撑。

"蓝皮书"编撰指导原则如下：

(1) 写好年度增量。电子信息工程科技涉及范围宽、发展速度快，综合篇立足"写好年度增量"，即写好新进展、新特点、新挑战和新趋势。

(2) 精选热点亮点。我国科技发展水平正处于"跟跑""并跑""领跑"的三"跑"并存阶段。专题篇力求反映我国该领域发展特点，不片面求全，把关注重点放在发展中的"热点"和"亮点"问题。

(3) 综合与专题结合。"蓝皮书"分"综合"和"专题"两部分。综合部分较宏观地介绍电子信息科技相关领域全球发展态势、我国发展现状和未来展望；专题部分则分别介绍 13 个子领域的热点亮点方向。

5 大类和 13 个子领域如图 1 所示。13 个子领域的颗粒度不尽相同，但各子领域的技术点相关性强，也能较好地与学部专业分组对应。

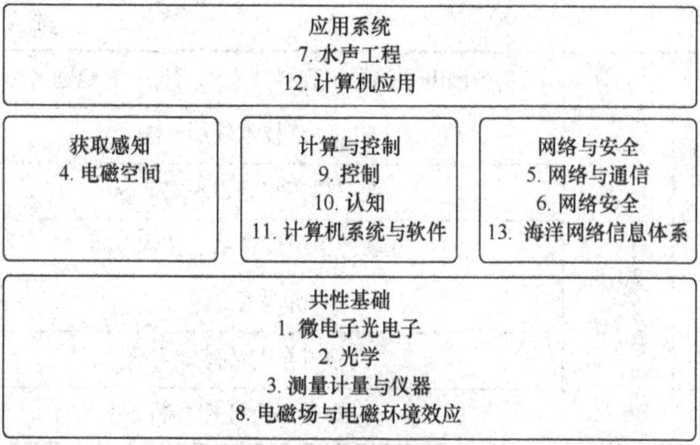

应用系统
7. 水声工程
12. 计算机应用

获取感知
4. 电磁空间

计算与控制
9. 控制
10. 认知
11. 计算机系统与软件

网络与安全
5. 网络与通信
6. 网络安全
13. 海洋网络信息体系

共性基础
1. 微电子光电子
2. 光学
3. 测量计量与仪器
8. 电磁场与电磁环境效应

图 1　子领域归类图

前期，"蓝皮书"已经出版了综合篇、系列专题和英文专题，见表 1。

表 1　"蓝皮书"整体情况汇总

| 序号 | 年份 | 中国电子信息工程科技发展研究——专题名称 |
|---|---|---|
| 1 | 2019 | 5G 发展基本情况综述 |
| 2 | | 下一代互联网 IPv6 专题 |
| 3 | | 工业互联网专题 |
| 4 | | 集成电路产业专题 |
| 5 | | 深度学习专题 |
| 6 | | 未来网络专题 |
| 7 | | 集成电路芯片制造工艺专题 |
| 8 | | 信息光电子专题 |
| 9 | | 可见光通信专题 |
| 10 | 大本子 | 中国电子信息工程科技发展研究（综合篇 2018—2019） |

| 序号 | 年份 | 中国电子信息工程科技发展研究——专题名称 |
|---|---|---|
| 11 | 2020 | 区块链技术发展专题 |
| 12 | | 虚拟现实和增强现实专题 |
| 13 | | 互联网关键设备核心技术专题 |
| 14 | | 机器人专题 |
| 15 | | 网络安全态势感知专题 |
| 16 | | 自然语言处理专题 |
| 17 | 2021 | 卫星通信网络技术发展专题 |
| 18 | | 图形处理器及产业应用专题 |
| 19 | 大本子 | 中国电子信息工程科技发展研究（综合篇 2020—2021） |
| 20 | 2022 | 量子器件及其物理基础专题 |
| 21 | | 微电子光电子专题 |
| 22 | | 光学工程专题 |
| 23 | | 测量计量与仪器专题 |
| 24 | | 网络与通信专题 |
| 25 | | 网络安全专题 |
| 26 | | 电磁场与电磁环境效应专题 |
| 27 | | 控制专题 |
| 28 | | 认知专题 |
| 29 | | 计算机应用专题 |
| 30 | | 海洋网络信息体系专题 |
| 31 | | 智能计算专题 |

从 2019 年开始, 先后发布《电子信息工程科技发展十四大趋势》和《电子信息工程科技十三大挑战》( 2019 年、2020 年、2021 年、2022 年 ) 4 次。科学出版社与 Springer 出版社合作出版了 5 个专题, 见表 2。

表 2　英文专题汇总

| 序号 | 英文专题名称 |
| --- | --- |
| 1 | Network and Communication |
| 2 | Development of Deep Learning Technologies |
| 3 | Industrial Internet |
| 4 | The Development of Natural Language Processing |
| 5 | The Development of Block Chain Technology |

相关工作仍在尝试阶段, 难免出现一些疏漏, 敬请批评指正。

中国信息与电子工程科技发展战略研究中心

# 前　言

　　操作系统和 CPU 是计算机系统软硬件的核心，也是计算机产业生态的核心，更是信息时代的基石，无疑是最为重要的科技发展领域之一。操作系统是连接计算机软件和硬件的桥梁，向上层软件提供硬件的抽象接口，屏蔽底层硬件的复杂性，并管理和调度硬件上运行的大量软件进程。过去数十年间，操作系统的技术创新和理念创新层出不穷。在桌面操作系统方面，Windows 系统和苹果的 macOS 系统占据大部分市场份额；在服务器操作系统方面 Linux 系统一枝独秀；而移动设备操作系统的市场则由苹果公司操作系统 iOS 及安卓操作系统瓜分。我国在服务器操作系统方面一直有所投入，大部分的面向服务器的国产操作系统仍然是基于 Linux 内核进行定制和二次开发。在此场景下，传统的桌面操作系统、服务器操作系统、移动操作系统已基本固化，难以形成创造性的突破。一些面向新领域、新场景、新应用的操作系统成为了新的发展方向和研究热点。

　　过去十余年间我国在操作系统领域的进展迅速，取得了一系列的优秀研究成果，发表在操作系统领域的 OSDI、SOSP、ASPLOS、ATC 等优秀的学术会议和学术期刊上。许多头部互联网企业，如华为、阿里等，也在积极布局操作系统方面的研究与开发，形成了一系列具有影响力的开源操作系统。在政府层面上，国家持续加强面向操作系统的基金项目和重点研发计划项目投入，致力于解决"少魂"问题。通过政产学研的共同推进，我国在操作系统领域的发展越来越快，逐步赶上了国际发展潮流，并在单点上实现了突破。

本书将以操作系统为对象，围绕其发展脉络总结相关的研究进展，梳理以桌面操作系统、服务器操作系统、移动操作系统为代表的传统操作系统方面的进展，并将以更多的笔墨梳理面向人机物泛在融合、云原生、量子计算、机器学习等新领域新场景的新型操作系统关键技术。在此基础上，本书对于操作系统的全球发展态势、国内发展现状、国内亮点热点等方面进行深度分析，进而展望我国在操作系统领域的未来演进和研究方向。

本书共分 5 章，内容安排如下。第 1 章概述了操作系统的有关概念和关键技术。第 2 章对操作系统的全球发展态势进行了分析以及梳理。第 3 章，结合我国在操作系统领域的发展，梳理并介绍了我国在操作系统各个子领域的发展现状。第 4 章，进一步细化，总结了我国在操作系统领域取得的亮点成果，以及当前的研究热点。第 5 章展望了我国操作系统领域的发展趋势。

# 目　录

# 第1章 操作系统概述及其关键技术

操作系统是计算机系统的核心组成部分，是连接计算机硬件和用户软件的桥梁。计算机硬件是各种物理设备的总称，由处理器(CPU)、内存储器和输入/输出模块三大部分组成，它们之间通过系统总线进行互联，共同服务于上层的程序运行；用户软件是为了解决实际问题而开发出来的各种应用程序，比如数据管理软件、文字处理软件、视频播放软件等。操作系统位于二者之间，本质上是一个管理并控制计算机硬件资源和用户软件任务，合理地组织计算机工作流程，方便用户交互的大型底层软件。通过操作系统这一管理整个硬件系统的底层软件，用户可以从复杂的硬件控制中抽身出来，集中精力到如何用计算机解决自身的实际问题上；同时，计算机硬件也可以通过操作系统的合理运行安排实现较高的资源效率。

从软硬件管理的角度看，操作系统主要有进程管理、内存管理、设备管理、文件管理这四类功能。进程管理主要是将CPU资源按照一定的机制分配给待运行的作业进程，包括创建、删除、挂起和重启进程，以及提供进程同步和进程间通信机制等。内存管理主要是制定内存分配策略并进行替换回收等方面的维护，包括记录内存的使用状态，决定哪些进程会调入或调出内存，根据需要分配和释放内存空间以及提供虚拟内存机制等。设备管理主要是为各类设备提供相应的设备驱动程序，包括启动程序、初始化程序以及控制程序等，保证输入/输出操作的顺利完成。文件管理主要是维护文件的存储信息并提供对读写更新等操作的支持，包括创建和删除文件，创建和删除目录以便组织文件，提供文件和目录的操作原语，映射文件到外存，以及文件备份等。这几个部分紧密配合，为下层的硬件资源管理和上层的用户服务提供了良好的支撑。

从20世纪50年代到如今，操作系统从无到有，由简单到复杂，再到成为计算机中不可或缺的核心系统软件，一路取得了辉煌的发展成绩。其推动力主要有几个方面：首先是为了提高计算机资源利用率，降低CPU、存储器、外部设备等各种硬件资源的使用成本；其次是为了满足用户使用计算机的便捷性需要，不断改善用户开发和运行程序的条件，提供良好的用户接口和环境；然后是紧跟前沿硬件技术的不断发展，为各种新元器件提供有效的支持；最后是服务于计算机体系结构的新形态，比如云计算平台和量子计算平台的出现都需要开发与之匹配的操作系统。经过数十年的持续发展，操作系统已经面向不同的计算任务需求，形成了不同的分支。常见的操作系统可以分为批处理操作系统、时分共享操作系统、实时操作系统、分布式操作系统、移动操作系统等。

批处理操作系统的主要应用场景是高性能计算和科学计算领域，通过将计算任务按批处理，最大化计算机的处理吞吐而较少关心单个计算任务的响应延迟。批处理操作系统曾是早期操作系统发展的一个重要阶段，比如CRAY公司为巨型机推出的COS(Cray OS)就是一个在国际高性能计算领域影响很大的批处理操作系统。批处理操作系统中作业周转时间长，不提供用户与系统的交互手段，适合大的成熟的作业。时分共享操作系统，将计算机硬件在多个计算任务之间通过时间片的方式进行共享，多个计算任务共同推进，从而允许多个用户同时使用计算机。目前大多数的桌面操作系统(如Windows)以及包括高性能计算平台在内的服务器操作系统(如Unix、Linux)采用的都是时分共享操作系统。实时操作系统则更加关注于单个计算任务的响应时间，需要确保计算任务在稳定的短时间内完成，适用于实时控制和实时信息处理领域，其主要应用场景包括通信系统嵌入式软件、工业互联网、物联网、工业控制系统、军事、航空航天、车载系统等。分布式操作系统同时管理多个计算机，使得他们之间可以通过网络快速协同，并共同完成计算任务。现在的云计算、集群等所采用的操作系统就是分布式操作系统，比如大型数据中心所用的操作系统等。移动操作系统(如Android，也叫安卓系统)，则是近二十年来发展起来的新操作系统类型，专门面向手机、平板、可穿戴设备等智能便携式设备，更加关注各类移动APP的使用便捷性、安全以及低功耗等特性。

　　传统操作系统领域的研究主要关注在进程调度、内存管理、存储管理等研究方向，目前已基本定型，并取得了良好的应用效果。后续的研究工作均是在前述工作的基础上做增量式研究和更新，较少实质性、突破性的进展。

　　在进程调度管理方面，早期的进程调度采用基于优先级以及时间片的时分复用调度策略。将CPU时间划分为细粒度的时间片，并且将时间片根据优先级分配给各进程。

在各进程运行时，将根据其自身的时间片消耗情况进行按需调度。此类时间片方法容易产生部分进程延迟长的问题。目前的操作系统大部分使用基于完全公平调度(Complete Fair Scheduling，CFS)的进程管理。CFS记录每个进程的虚拟运行时间，并在调度过程中确保每个进程的虚拟运行时间一致，从而实现进程间的公平。不同进程的虚拟运行时间的计算纳入了其优先级以及当前占据的CPU时间，可以实现基于优先级权重的按需公平。其他进程调度方法大多以完全公平调度为基础，融入对不同进程特征的考虑，从而提高整体的效率。

在内存管理技术方面，目前普遍采用虚拟内存的方式进行管理。通过将物理内存空间抽象为虚拟内存，每个进程/计算任务都可以看到整个连续的内存空间，并依赖于后台的虚拟地址到物理地址的转换，实现内存中数据的放置与寻址。内存分页以及虚拟地址到物理地址的转换是操作系统内存管理的重要特色。同时，有一系列的研究工作和实现，探究如何减少物理内存的碎片化问题。分页机制以及页映射机制可以通过映射，显著减少已经存在的内存碎片。同时，内存分配时的伙伴系统(Buddy System)，以及Slab分配器，能够有效减少内存碎片的产生。近年来伙伴系统以及Slab分配器已经成熟并广泛应用，暂未有具有普适性的新型内存管理技术产生。一些研究工作更加关注于将新型内存介质(如非易失内存、三维堆叠高带宽内存等)引入到内存系统中，并采用不同的方式管理不同的内存介质。例如，非易失内存可使用内存方式管理，但提供持久化的存储；三维堆叠高带宽内存可以作为普通内存使用，也可以作为另外一级缓存使用。

在文件管理方面，提出虚拟文件系统技术，将文件访问接口进行抽象，使得上层应用和软件可以通过统一的接口进行文件输入输出操作，而无须感知真实的数据存储文件系统。目前，各类操作系统都提出了各自的文件系统用以管理和存储文件。其主要不同在于文件中的数据管理方式。虚拟文件系统的出现，实现了不同文件系统的统一，是操作系统中存储管理的一大突破。近年来虚拟文件系统的设计和实现也基本成熟。

从上述的现状总结可以看出，传统的操作系统研究在各个方面均已达到比较成熟的状态。然而，随着科技社会的不断发展，操作系统领域也呈现出一系列新的发展趋势。特别地，随着新应用、新场景、新需求的不断涌现并且日趋复杂，当前的操作系统研究领域主要面临着几个核心的工程难题和科技挑战：

第一个挑战是操作系统需要适应各类云-边-端异构硬件。在生态构建层面，用户应用在云-边-端自由迁移部署的需求日益凸显，亟须开发支持上述自由迁移的泛在操作系统。其难题在于云、边、端硬件常基于X86、ARM等异构指令集，无法支持应用的高性能自由迁移。统一云、边、端硬件的指令集以满足上述自由迁移需求的趋势已初步显现。因此，需要构建自动适应各类云-边-端异构硬件的操作系统，并且从"可用"变"好用"，形成完善的生态。此外，随着智能终端的普及，操作系统也需要为各种物联网设备提供良好支持。

第二个挑战是操作系统需要进行跨层级的协同设计。

在操作系统设计层面,传统操作系统的辐射范围日益扩大,需和上层的运行时系统结合提供面向新应用的特定优化,也需和底层的各类异构硬件(如AI芯片)协同设计,提供异构硬件的高效支持。因此,"应用-运行时系统-操作系统-硬件"的协同设计和开发成为新型的操作系统设计方法。

第三个挑战是操作系统需要为大规模分布式应用提供有效的支撑。在分布式支持层面,超大规模的云计算平台日益成为新应用的运行基础平台。因此,对海量分布式,以及通过网络互连的云计算节点的统一细粒度管理,成为了云操作系统和面向云计算的网络化操作系统的一个核心要求。

第四个挑战是随着计算机网络技术特别是互联网、物联网、工业互联网和移动计算技术的发展,计算生态环境从根本上发生了改变,操作系统必须从处理单机资源拓展到处理网络上的浩瀚资源。因此,操作系统领域出现了针对新型计算生态环境的泛在融合发展态势。

此外,支持人工智能加速的芯片持续升温,以及量子计算机等新型计算形态的出现,需要全新的、异于传统的操作系统以支持这种新的计算机形态,这也是操作系统领域的一个重要挑战。

面对以上几个主要工程科技挑战,当前国内外的操作系统研究发展日新月异。无论是在以微软、谷歌、阿里、华为等科技公司为代表的产业技术领域,还是在以OSDI、SOSP、ATC、ASPLOS等著名会议为代表的操作系统学术研究领域,泛在融合、云计算、人工智能、物联网等前沿方向都已经成为了主要的研究热点,并不断取得突破性的进展。国外的加州大学伯克利分校、卡内基·梅隆大学、芝加哥大学、普渡大学，国内的清华大学、上海交通大学等都在操作系统领域进行了深入的研究。如图 1.1 所示，本书将紧跟国内外研究潮流，在传统操作系统之外，重点围绕着由新场景、新应用、新需求驱动的多个特定领域操作系统进行深入的分析梳理。

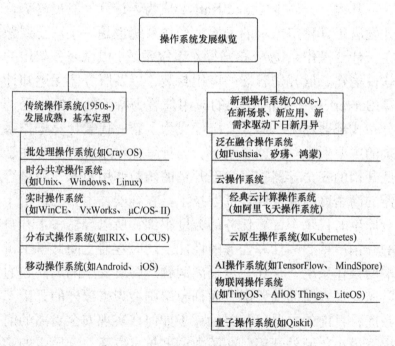

图 1.1　操作系统的发展纵览

首先，人网物泛在互联是一个未来发展的主要场景，是需要面对的新的计算生态，物联网操作系统成为操作系统领域的重要方向之一。在人网物泛在互联时代，云边端的硬件指令集逐步统一，其中的一个主要研究聚焦在将人网物的操作系统进行融合，提供统一的调用和管理方式。在这个方面，当前有关构建泛在融合操作系统(Ubiquitous Operating Systems，UOS)的研究正不断推进，正成为软件生态构建的热点发展方向。此外，对于物联网设备而言，保证其具备长时间、高强度、安全可靠的运行能力也是操作系统领域一个有很强经济价值的研究热点。

其次，云原生(Cloud Native)成为云计算的发展趋势，开发满足其特定需求的云原生操作系统也是一个重要课题。在云计算操作系统/分布式操作系统领域，以微服务架构的软件构建、低开销容器的应用封装，以及服务器无感知计算(Serverless Computing)的应用部署为特征的云原生强调分布式部署和统一运管，已经成为了新一代云计算操作系统的主要形态。在此场景下，云计算操作系统更加关注于低开销的安全容器技术、低开销的函数调用技术、海量容器的高密度高并发混合部署技术。在容器技术方面，由于云原生时代每个计算任务的粒度很细，所以容器技术本身的开销严重影响计算任务的性能。同时容器之间共享主机端的操作系统，存在安全隔离问题。解决安全隔离问题通常需要加入新的抽象层，而抽象层则会带来额外的开销。为此，目前的主要研究关注在于如何在实现安全隔离的前提下最小化额外开销。在函数调度技术方面，云原生的函数调用需要经过整个网络栈，导致了细粒度函数的长延迟。为此，该方向的主要研究集中在如何减少容器的冷启动，避免冷启动时延，以及减少函数调用的时间开销。在混合部署技术方面，海量的容器会部署到同样的物理节点上，容器之间存在着复杂的资源竞争情况，导致性能问题。在该方向的主要研究聚焦在容器间的冲突实时检测，以及基于冲突避免的低开销调度方面。

同时，由于人工智能巨大的应用需求以及全面铺开的AI专用芯片，面向AI芯片的AI操作系统的研究和开发持续升温。具体的研究包括两个类别，即人工智能增强的操作系统，以及面向人工智能的操作系统。在人工智能增强的操作系统方面，其研究聚焦于使用人工智能技术，改善现有操作系统中各功能组件的能力和性能。例如，依托人工智能技术进行操作系统中海量参数的合理配置；感知上层运行软件的特征，进行调度系统和内存管理系统的定制等。在面向人工智能的操作系统方面，其研究主要聚焦于使操作系统能够更加完善和高性能地支持人工智能应用的运行。例如，现有的如TensorFlow、MindSpore等人工智能框架和运行时系统就可以称为广义上的人工智能操作系统。人工智能操作系统又可以进一步细分，分为面向人工智能训练的高吞吐系统，以及面向人工智能推理的低延迟服务系统。具体的技术手段包括参数同步机制设计、批处理流水线策略设计、数据放置与预取设计等。

最后，由于量子计算理论的持续发展，量子操作系统也呈现出蓬勃的发展态势。在量子操作系统领域，如何提高量子操作的并行性是一个重要问题。同时，由于量子的叠加和纠缠特性，验证量子算法执行的正确性远比经典程序验证要复杂得多，保证量子运算的正确性(即量子纠错)也是量子操作系统的一个重要任务。此外，设计易操控、高性能的量子硬件控制软件，以及提供便捷易用的量子计算平台支持都是量子操作系统领域的重点研究课题。

总体而言，如图 1.2 所示，操作系统正在向"智能赋能、高效扩展、泛在普适、专用定制、便捷易用、低碳节能、安全可信、稳定可靠"的发展目标迈进，其服务质量在不断提升，场景支持也更加灵活。

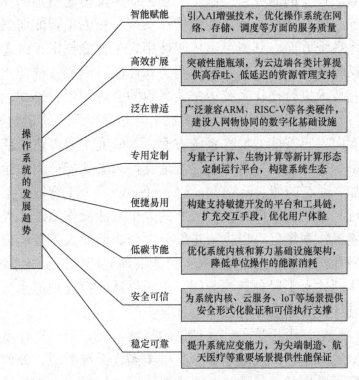

图 1.2 操作系统的总体发展趋势

下述章节将主要介绍操作系统领域的全球发展态势、国内发展现状、国内亮点热点以及未来的研究趋势。

# 第2章 全球发展态势

在底层硬件和上层应用的多样化潮流推动下，全球操作系统领域的发展日新月异。在硬件驱动方向，随着新型硬件设备的不断普及，相应的操作系统也在持续构建与发展：从最早期的面向大型服务器的操作系统(如OS/360、Unix)，到面向个人电脑的桌面操作系统(如Windows、MacOS，主要支持X86芯片)，再到如今面向各类终端设备的操作系统(如iOS、安卓、物联网操作系统等，主要支持ARM芯片)。进一步地，随着跨平台协同需求的增加，不同指令集设备间的无缝连接也成为了新的发展方向。在应用驱动方向，随着应用算力和存储要求的增加，云计算产业在持续蓬勃发展，云操作系统成为一个重要的研究课题。此外，随着端设备用户量的爆炸式接入，云端融合成为当前信息系统的发展趋势，而构建设备间可以互操作互调用的泛在融合操作系统也成为了新的重点发展。同时，人工智能在现实生活中的广泛应用，催生了操作系统研发新的需求。量子计算机虽还未到实用阶段，但许多国家已布局了面向量子计算的量子操作系统研究。

整体来看，近年来全球操作系统领域的发展呈现出了五个重要态势：①随着硬件架构的逐步统一，各类型的操作系统逐步融合；②云计算进入云原生时代，传统面向虚拟机的云资源管理操作系统无法提供足够竞争力，各大云厂商在云原生操作系统竞相布局；③AI应用需求巨大，促使AI专用芯片全面铺开，面向AI专用芯片的AI操作系统的研究和开发持续升温；④随着智能终端设备的不断普及，物联网操作系统存在着新的挑战和机遇；⑤量子计算持续发展，呈蓬勃发展态势，如何实现支持量子计算的高效操作系统成为迫切需求。本章会围绕这些方向梳理全球操作系统领域的发展近况。

## 2.1　云边端硬件指令集逐步统一，泛在融合操作系统新形态正在兴起

指令集是连接软件和硬件的纽带。操作系统及运行于其上的软件程序，最终都需被编译成符合CPU指令集规范的机器代码程序，最终由CPU各组件协同完成预定工作。由于指令集的具体定义不同，操作系统需与指令集兼容才能运行于相应的CPU上。例如，桌面操作系统Windows主要运行于X86架构的CPU芯片上，而Linux能够广泛兼容不同指令集的CPU芯片。指令集的差异不仅导致了操作系统的兼容难题，也引发了设备间的互操作难题。

随着云计算、边缘计算以及各类嵌入式设备、移动设备的快速发展，设备间的无缝连接融合成为了新的发展方向，同时也是一种新的技术挑战。不同指令集的设备难以实现对应用在不同设备间自由迁移和调度。鉴于此，云边端的硬件的指令集出现日益统一的趋势。例如，移动和边缘侧普遍使用ARM指令集的芯片，如高通的系列芯片。在个人电脑侧，苹果公司开发基于ARM指令集的M1芯片，

采用了 5nm制程工艺封装了 160 亿个晶体管，实现了媲美
Intel X86 架构的高性能。在服务器侧，飞腾开发了基于
ARM的腾云系列芯片，其中最新的腾云S2500 芯片采用 16
纳米工艺，拥有 64 个FTC663 内核，实现了 2.0～2.2GHz
的主频；此外，华为的鲲鹏芯片也兼容了ARMv8 指令集并
进行了优化设计，实现了 8 通道DRAM，主频高达 2.9GHz。
特别地，为了响应国家在芯片领域的自主可控需求，研发
基于开源和永久授权指令集的各类芯片也成为了重要发展
方向。例如，RISC-V等开源指令集也是未来云边端设备可
统一使用的指令集之一。RISC-V开放指令集架构凭借开源
优势，已经在边缘侧对传统ARM实现了广泛替代；面向移
动和个人电脑侧的芯片已经有相应产品面世；服务器侧，
中科院计算所发起成立的北京开源芯片研究院将研制面向
高性能计算场景的RISC-V处理器。在操作系统方面，
RISC-V已经适配Linux等主流系统，并获得了Linux基金会
的官方支持。指令集的日益统一使得各层的操作系统能够
融合管理云边端设备。

　　虽然现有的一些操作系统(如Linux)支持各种指令集，
但难以实现用户软件在不同指令集设备上的无缝迁移调度，
阻碍了用户透明的泛在计算生态的构建。为此，基于统一
指令集构建泛在融合操作系统(Ubiquitous Operating
Systems，UOS)的新形态正在兴起，并有望成为软件生态
构建的热点发展方向。泛在操作系统采用软件定义的方法，
面向不同的计算设备、不同的应用场景提供统一的、支持
按需灵活定制的操作系统，向下管理各种泛在异构资源，
向上支撑泛在应用。泛在操作系统对于未来计算的重大意

义吸引了国内外诸多厂商的布局，以满足未来云边端融合的发展需求。例如，Google于2016年发布了可以同时支持移动设备和个人电脑的融合操作系统Fuchsia OS，采用了Google为嵌入式系统开发的一种全平台操作系统内核Zircon。Zircon在内核LK的基础上拓展了多进程管理、多级别用户管理和安全权限管理等模块，使其能够兼容嵌入式设备、智能手机和个人电脑。普渡大学提出操作系统需要为由网络连接的各种分散硬件资源提供灵活的融合管理支持，并为此开发出了LegoOS，获2018年操作系统顶级会议USENIX OSDI的最佳论文奖，并产生了显著的行业影响力。阿里、腾讯、华为等国内公司，也在加大边端和云端系统软件投入，布局泛在融合操作系统。例如阿里发布了物联网操作系统AliOS Things和服务器操作系统龙蜥，腾讯发布了物联网操作系统TencentOS Tiny（可在1KB左右的设备内存上运行）和服务器操作系统Open Cloud OS，华为发布了鸿蒙操作系统(HarmonyOS)和面向服务器领域的欧拉操作系统(Eular OS)。北京大学也于2021年发布了面向工业互联网的泛在操作系统"矽璓"操作系统(X Industrial Ubiquitous Operating System，XiUOS)，并支持ARM和RISC-V两种架构，实现了"感联知控"的协同管控调度目标。

## 2.2　云计算进入云原生时代，云原生操作系统竞相布局

云计算领域，每个物理节点上仍然运行着传统的主机

操作系统，而多个物理节点的协同管理则交由专门的运行时系统来完成。这种专门用来进行云计算平台中分布式资源的管理、计算任务的封装与调度、节点的可靠性保证等的运行时系统一般称为"云计算操作系统"。ACM Fellow、现代数据中心设计先驱Luiz Barroso早在 2007 年即指出，"一个数据中心就是一台计算机"。谷歌公司研发并开源的Kubernetes在国际上就被称为一个典型的"云计算操作系统"。ACM和IEEE Fellow、斯坦福大学Christos Kozyrakis教授带领的多规模体系结构和系统研究小组也引领着该领域的研究。

随着云计算的发展，以微服务架构的软件构建、低开销容器的应用封装，以及无服务器计算的应用部署为特征的云原生成为新一代云计算操作系统的主要形态。传统云计算需普通用户显式地租赁计算存储资源并以虚拟机方式部署(如PaaS、IaaS、SaaS等)，已经得到广泛并成熟的应用。然而传统云计算运行时开销大、资源浪费严重，以DevOps、持续交付、微服务为主要特征的云原生成为解决高开销和资源浪费的主要手段。针对传统云计算，世界上主要的云厂商都已经开发了各自的云操作系统，例如微软Azure和阿里飞天云操作系统。此类云操作系统普遍基于虚拟机方式进行云资源管理，无法支持新一代的云原生计算。学术界和企业界纷纷在面向云原生的操作系统方面布局。在学术界，包括MIT、加州大学伯克利分校、康奈尔大学、密西根大学、上海交通大学等纷纷进行云原生操作系统的研究，解决低开销安全容器、容器管理系统、微服务任务调度等科学问题。图 2.1 给出了云原生操作系统中支持应用高效运行的总体架构。

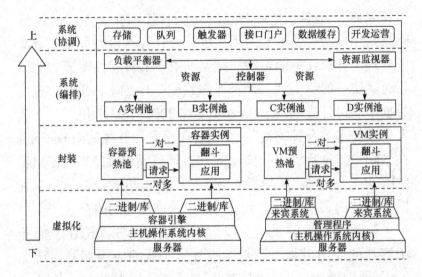

图 2.1　云原生操作系统总体架构[1]

　　在工业界，亚马逊、微软、谷歌、阿里等公有云份额排名靠前的厂商纷纷布局云原生操作系统，以支撑云原生业务的发展。亚马逊发布了Amazon Lambda，微软发布了Azure Functions，谷歌发布了Google Cloud Function，阿里则发布了Alibaba Function Compute。此类云原生应用的份额正日益增大。除了业界自用的闭源云原生操作系统外，开源社区也发布多项云原生操作系统框架，如Apache OpenWhisk，Fission等。云原生框架普遍使用细粒度的函数即服务(Function-as-a-Service，FaaS)的方式运行任务。函数即服务的任务运行方式也称为服务器无感知计算(Serverless Computing)。由图灵奖得主David Patterson领衔，加州大学伯克利分校 2019 年发布了《服务器无感知计算白皮书》。该书指出，服务器无感知计算为开发者使用云计算资源提供了巨大的便利，将成为未来云计算领域的主流计算方式。使用这一计算方式，用户可以编写单一用途的简单函数，并将这些函数关联到云端基础架构和服务发出的事件。当所监控的事件发生时，就会触发预先定义的函数。代码将在完全托管的环境中执行，用户无须预配任何基础架构，也不必费心管理任何服务器。服务器无感知计算的运行模式对云原生操作系统中的容器化技术、容器在线迁移技术、快速资源分配负载均衡、复杂任务支持等方面提出了更加严格的挑战。

容器化技术方面，容器的高密度部署和高并发启动成为容器化技术的核心需求。在云原生时代，每个细粒度用户函数所需的资源量有限，同一个云服务器的资源足以支持大量的用户函数并发运行。在此场景下，实现容器的高密度部署是使云服务器资源可以充分利用的必要条件。通常，容器化自身带来额外的内存开销，使得海量的高密度部署较为困难。如何在不损害容器性能的前提下最小化容器化的资源开销，是实现高密度部署的重要研究挑战。同时，容器的启动时间显著影响了用户函数的响应时间。过长的启动时间会导致用户响应时间过长。由于云原生场景中会同时并发接收海量的用户函数处理请求，实现容器的快速高并发启动是减少函数响应时间的必要手段。相关问题已经得到了学术界和工业界的一致认可。美国亚马逊AWS提出Firecracker技术[2]，提高容器的并发启动速度。国内，阿里云和上海交通大学合作，研究袋鼠容器技术，使得容器的单实例端到端启动时间缩短到百毫秒，并发启动达到每秒 2000 个，基本满足高并发启动的需求。

服务器无感知计算的性能优化方面，如何降低函数调用的开销是一个重要挑战。在云原生时代，单一的用户函数运行时间通常不足 1s，而函数调用和容器启动的开销成为影响函数响应时间的重要因素。为此如何降低函数的调用开销，以及如何消除容器的慢速冷启动成为了一个重要的研究和发展方向。众多研究者探索了一系列相关机制：通过将函数调用固化到硬件加速器的方式来降低函数的调用开销[3,4]，或者基于同种类函数的调用历史，提前进行容器预热的方式来消除容器的冷启动[5]，或者通过构建函数容器的模板，消除软件包加载时间的方式来加速冷启动[6]，以及通过在不同种类函数之间实现容器共享的方式来消除容器的冷启动[7]。上述研究都对提高云原生操作系统的运行效率起到重要作用。

在工作流的高效支持方面，如何基于简单用户函数实现复杂用户应用的高效构建成为云原生操作系统的重要竞争力。传统的服务器无感知计算仅支持简单函数，无法支持真实的大规模应用。各大厂商纷纷布局对复杂应用的云原生化的支持。例如，亚马逊AWS提出了AWS Step Functions，微软Azure提出了Microsoft Durable Functions，谷歌云提出Google Workflows，阿里云提出了Alibaba Serverless Workflows等。通过上述产品，可实现通过使用多个用户函数互联，构建复杂工作流的支持。上述产品通常使用简单的互联方式，并通过远程过程调用(Remote Procedure Call，RPC)消息进行小数据在函数间传输，通过数据库进行大规模数据在函数间的传输。这些数据传输的时延导致了复杂工作流应用的低性能。为此，学术界在相关方面也进行了深入研究。德州大学奥斯汀分校提出了

Nightcore技术[8]，当所有的函数都映射到同一个物理节点上时，可以通过消息通道的方式减少小数据的传输时间。上海交通大学提出FaaSFlow计算框架[9]，使用容器中的空闲内存进行数据的内存传输，而无须通过高开销的数据库进行。该技术可以显著缓解跨节点的大规模数据交互。

## 2.3　AI 专用芯片全面铺开，AI 操作系统持续升温

随着人工智能的不断发展，人工智能(AI)专用芯片开始全面推广。广义上的AI操作系统可分为两个类别：①高效支持AI芯片的操作系统；②类比云计算操作系统，提供专门面向人工智能应用的编程、管理，及优化支持的运行时框架及系统。上述两类系统都在快速发展。第一部分的工作在传统单机操作系统中添加对人工智能芯片的高效管理支持；第二方面的工作则是在人工智能框架层面进行各类优化，实现对人工智能应用的高效支持。例如TensorFlow、PyTorch等在国际上也普遍被认为是人工智能操作系统，专门支持人工智能应用的高效运行。

在人工智能技术不断发展的趋势引导下，如何设计专用芯片架构以适应神经网络负载的独有特征是一个关键难题。尽管GPU和FPGA在人工智能加速方面已经做出了卓有成效的贡献，但人工智能专用芯片才是未来发展的核心。面向人工智能关键技术之一——神经网络的专用架构较早由我国中科院计算所提出，他们从 2013 年起设计了一系列的专用架构，包括一开始的DianNao原型设计[10]，到

边缘计算的低功耗ShiDianNao架构[11]，面向云计算的DaDianNao架构等[12]。DianNao采用65nm工艺，基于神经元虚拟化的技术，突破了传统有限规模的硬件和任意规模的算法之间的矛盾，使得硬件能够支撑任意规模(包含任意多的神经元)的神经网络，实现了452GOP/s的处理性能，相比传统的128位2GHz SIMD处理器实现了近120倍的加速，同时能耗降低20倍以上。进一步地，他们抽象出了各种深度学习算法的共性算子并设计了深度学习指令集DianNaoYu[13]。相关论文也获得了计算机系统结构领域重要国际会议ASPLOS的最佳论文奖。在国际上，MIT学者提出Eyeriss架构[14]。Eyeriss分析了不同卷积实现的数据流对数据的复用效率，并提出固定的数据流模式能够最大化地复用数据，提高内存访问的局部性。除了学术界的研究，国内外工业界也积极地研发了AI专用芯片，包括谷歌公司的张量处理单元(Tensor Processing Unit，TPU)架构[15]、英伟达公司的TensorCore架构、Graphcore公司的智能处理单元(Intelligence Processing Unit，IPU)架构、阿里的含光系列处理器（采用TSMC 12nm工艺制程，提供了低于0.1ms的全球最高单芯片AI推理性能）、寒武纪面向云边端的思元系列智能芯片及加速卡，其中寒武纪的思元系列芯片已经在浪潮、阿里、百度等客户中得到了广泛应用。其中，国际上较有代表性的是谷歌的TPU系列芯片，面向谷歌自有的人工智能框架TensorFlow定制开发，专门用于加速机器学习，实现了exaFlOP级别（每秒$10^{18}$次）的浮点运算，并首先内部应用于谷歌街景文本处理、人机围棋对战系统AlphaGo[16]和AlphaZero[17]中，现也已开放给第三方使用。在国内，寒

武纪的第三代云端AI芯片思元 370 算力高达 256TOPS
（INT8），百度昆仑芯 2 则与飞腾等多款国产通用处理器、
麒麟等多款国产操作系统，以及百度自研的飞桨深度学习
框架完成了端到端适配，拥有软硬一体的全栈国产AI能力。

在AI框架方面，如何高效调度硬件算力和AI软件应用
成为新的重要技术挑战。ACM/IEEE Fellow、卡内基·梅
隆大学的Phillip B. Gibbons教授 2019 年在著名的SOSP学
术会议上指出，虽然深度学习技术为图像分类、语言处理
等应用带来了巨大的效果提升，但是其训练的代价也越来
越大，亟须通过各种特定的系统框架来提升人工智能模型
的训练效率。目前的大部分主流操作系统都是以类似于
GPU的外设方式管理AI专用芯片，即将AI芯片集成至加速
卡中，通过例如PyTorch和TensorFlow的深度学习框架进行
AI模型编程和执行，并由通用操作系统通过CPU实现对加
速卡的调度和管理以及对AI模型提供定制化加速。华盛顿
大学研发的TVM[18]是针对不同的深度学习框架和硬件平
台实现了同一的软件堆栈，以高效的方式将AI模型部署到
硬件平台上。微软提出了Rammer[19]，使用细粒度的调度单
元实现各种底层计算资源的协调从而实现超过十倍的AI性
能加速。Rammer可适用于主流的深度学习加速器，如GPU、
IPU等。这种平台型解决方案尽管具有通用性方面的优势，
但是在特定的人工智能应用上难免会带来性能上的额外开
销。针对AI系统研究的迫切需求，美国工程院院士Jeff Dean
以及图灵奖得主Yann LeCun等国际上顶尖的系统和AI研究
专家在 2018 年发起了机器学习和系统研讨会（MLSys），
专门关注面向机器学习的系统技术创新和产业落地实践，

在学术界和产业界已产生重要的影响。

　　总体来看，人工智能操作系统领域也逐渐出现了百花齐放的局面。不过当前该领域尚处于起步阶段，目前已发布的人工智能操作系统一般都基于自研的人工智能基础组件(如语音识别、人脸识别、执行器系统等)。要使人工智能操作系统真正能够如同Windows一样具有全栈的资源管理和应用开发部署能力，还有待进一步的研发。

## 2.4　全球物联网市场发展迅速、新技术带来新机遇

　　物联网技术已经在工业 4.0、智能城市、智能家居、车联网和电子医疗等各个领域产生了许多具有里程碑意义的应用。智能传感器、5G、人工智能和大数据分别为物联网提供了感知、传输、处理的技术支撑，使物联网进入规模化发展的机遇期，带动产业转型升级，为经济发展注入新动能。物联网终端系统的软件，特别是操作系统存在着新的挑战和机遇，在底层硬件和上层应用之间起着至关重要的作用。

　　物联网操作系统呈现出"大而全、小而精"的发展趋势。物联网操作系统需提供丰富的组件，包括各类文件系统、图形处理软件、网络安全组件等，以及支持各类的网络协议，例如Wi-Fi、Bluetooth、LoRa、LTE-M、NB-IoT、Sigfox等。用户可以根据实际的应用场景来定制相应的产品。从调度机制来看，物联网操作系统可支持包括时间片轮转、中断驱动、多任务可抢占式调度等多种调度机制。

其中实时物联网操作系统提供了精确时钟、高可靠性、高可扩展性和可预测性，系统层面更关注于性能优化、内存优化、低中断延迟和精确内核调度。而另一方面，一些物联网设备体积正变得越来越小，比如可穿戴设备，对硬件和软件提出了小而精的需求。比如由AWS研发的FreeRTOS，只有 6～10KB的内存占用开销。

　　隐私和功能安全日趋重要。ACM/IEEE Fellow、加州大学伯克利分校电子工程和计算机科学系前系主任David Culler教授 2019 年在USENIX Security会议上指出，在近几年有上百亿个物联网设备被部署到实际环境中，而这些设备常常会收集用户信息，通过各种手段来保护其数据安全在未来将是一个愈加重要的研究课题。物联网设备的连接性可能会使它们的漏洞暴露于其他连接端点，例如未经授权的访问、数据盗窃和恶意软件。物联网系统涉及敏感数据和个人信息，比如有收集生物特征数据的可穿戴设备，数据安全和隐私引起了广泛重视。操作系统中的安全模块能增强这些对象抵御潜在威胁的能力，具有漏洞评估、数据加密和事件响应等功能。此外，车联网、医疗等特定领域都对功能安全有严格的要求，这些系统需要通过功能安全相关的标准认证才能投入使用。比如IEC 61508 标准是针对电子电气以及可编程电子系统的功能安全国际标准，车联网领域的ISO 26262 以及医疗领域的IEC 62304 国际标准也都有功能安全的需求。物联网设备大多是 24 小时无人值守，有些甚至在恶劣环境下运行，这就要求操作系统和基础软件具备长时间、高强度、安全可靠运行的保障能力。支持功能安全将是物联网操作系统的一个趋势，也是商业实时操作系统的一个优势。

开源系统与商业系统齐头并进。传统的物联网操作系统领域已经被深耕多年，而在 5G、人工智能等新技术的推动下，物联网操作系统有了新的发展。在开源系统当中，Contiki是一个诞生自 2003 年的开源操作系统，它的设计特别关注网络、内存受限系统(即大多数物联网设备)，以其能够将小、经济且低功耗的微控制器连接到Internet的能力而闻名。该操作系统在构建复杂的无线系统方面非常有用。由AWS研发的FreeRTOS是一种基于微控制器的开源操作系统，使用AWS IoT Core来运行物联网应用程序。RIOT是一种基于微内核架构的开源操作系统，可支持数百种物联网设备。TinyOS针对无线传感器网络的内存限制进行优化，适用于低功耗无线设备设计的开源物联网操作系统。在商业系统中，嵌入式Linux操作系统在工业级网关市场占有主导地位，Linux社区在 2016 年推出Zephyr实时操作系统以满足低内存需求的设计，可以在小至 8KB内存的系统上运行。ARM公司也推出了Mbed OS操作系统，为开发人员提供友好的开发环境。微软希望延续Windows Embedded在工业控制领域的成功，推出了Windows 10 for IoT Core，具有和企业级系统应用集成的优势。除传统的通用操作系统厂商外，智能手机厂商也加快入场，分别研发智能化的物联网操作系统。Apple和三星等都积极开发面向消费电子客户的实时物联网操作系统平台。Google推出了面向智能家居的Google Android Things和Google Fuchsia；英特尔等厂商合作而推出了面向平板、智能电视等领域的Tizen系统。

## 2.5　量子计算呈蓬勃发展态势，量子操作 系统初步萌芽

量子计算指的是根据量子物理的原理，利用叠加态、纠缠等特性，实现计算的过程。和传统计算方式相比，具有高存储容量、高并行性等优势，潜力巨大。在过去五年中，对量子计算的硬件支持取得了长足的进步，多家公司和高校、研究机构先后实现了超过 50 个比特的超导量子计算系统。其中尤其以超导、离子阱、光量子等体系为代表。伴随着量子计算硬件的发展，与之匹配的量子计算架构也相应而生。图 2.2 给出了"量子指令+经典控制"的量子计算架构，该架构是一个高度复杂的量子-经典混合架构，其量子部分负责实现量子比特的叠加与纠缠，并执行事先设

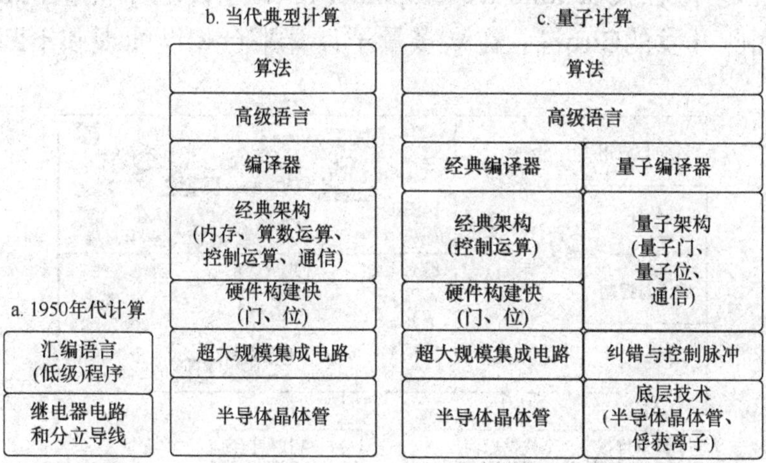

图 2.2　量子指令+经典控制的量子计算架构图[20]

计好的量子线路，实现量子加速；而经典部分负责输入-输出接口、对量子系统的操控，以及将量子线路转译成脉冲控制信号。

目前已经出现了一系列可以访问的量子云平台，如图 2.3 所示，其中最著名的包括IBM Qiskit平台和Regetti公司的Forest平台。Qiskit平台使用OpenQASM量子汇编语言进行编程，支持通过Python、JavaScript和Swift等语言的访问接口。Qiskit平台支持量子云模拟器，特定拓扑量子线路编译、量子线路可视化工具，还有一个包含大量量子算法的库Aqua。Forest平台由量子计算创业公司Regetti开发，使用自研的量子指令集，支持通过Python库进行访问。Forset平台支持根据特定拓扑编译线路、噪声进行模拟，以及在不同量子算法线路下自动生成Quil代码。其他类似的工作有由ETH Zurich的研究人员开发的Project Q，由微软公司开发的Quantum Development Kit，以及由谷歌量子AI团队开发的Cirq等。在众多量子计算平台相继涌现和不断

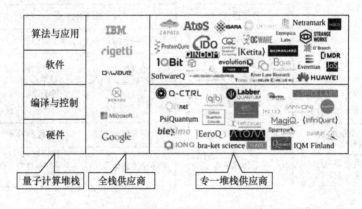

图2.3　量子计算发展概要

发展的过程中，存在诸多挑战，尤其是对量子计算硬件资源的规划控制，对量子硬件功能控制软件的设计，以及量子计算系统纠错等。

量子计算系统中需要解决的主要问题包括：如何规划芯片上的量子比特与经典控制设备的连接、层级结构；理清数据流、控制流在整个量子计算系统中的走向；提高量子操作的并行性等。通常量子算法设计的一个重要步骤是量子硬件映射，即自动化地将无约束的量子算法转化为能在特定硬件设备上执行的门线路。现在已经有部分量子软件平台支持这种量子算法的自动编译。另一方面，由于量子的叠加和纠缠特性，验证量子算法执行的正确性远比经典程序验证要复杂得多，往往需要使用随着比特个数指数增长的时间与空间。

设计脉冲级的量子控制软件是一个重要的挑战。以超导量子计算为例，当确定了要执行的量子线路并执行完编译及优化后，为了执行门操作需要将其转化为对应的脉冲波形发送给相应的常温微波电子仪器，由其将接受的波形数字信号转为对应的模拟信号，并发送给量子芯片进行操控，其间需经过滤波器、微波放大器等微波电子器件以达到减少门操作时间与噪声、增加门的保真度的目的。当量子门编译完成后，用量子芯片执行量子线路的过程在本质上是一种用经典计算机来控制微波发生器的过程。一个理想的控制系统应当对硬件可扩展，对用户友好，同时能保证量子计算的整体高性能。目前已经有一些具有量子硬件控制功能的软件，比如由加州大学圣地亚哥分校研发的支持多编程语言的LabRAD，由哥本哈根大学等团队研发的为物理实验室建立的通用框架QCoDeS，以及由诞生于MIT量子组的初创公司Labber quantum研发的自带图形界面的Labber等。

　　量子计算系统中的纠错也是一个重要的研究方向。由于量子系统极易受周围环境干扰而产生退相干，导致量子比特存储信息的错误率很高，因而量子纠错必不可少。一个主流的量子纠错方式是用多个物理量子比特编码构成逻辑比特，以周期性地测量反馈操控并修正错误。由于当今的超导量子比特相干时间只有数十到数百微秒，一个高并行的实时的经典控制系统必不可少。谷歌在其量子优势的演示实验中已经利用多片FPGA代替PC机实施对微波电子仪器的控制，近期还利用其平台进行了21比特系统的重复码纠错演示，并提出了一种用于近期量子纠错的轻量低延迟解码器。其他高校和研究机构也进行基于FPGA的并行反馈控制系统的开发。在当今研究阶段，出于成本与灵活修改的目的一般使用FPGA进行低延迟的并发反馈控制，未来控制方案成熟后可能会发展出专用芯片以进一步提高效率。

# 第 3 章　我国发展现状

在全球操作系统研究日新月异的大背景下，我国操作系统领域的发展主要围绕着两个目标来进行。一方面，我国信息技术和产业发展一直面临着"缺芯少魂"之痛，因此在已有的核心技术领域，追求基于自主可控的替代是无可争议的目标，也是必须要坚守的关键战场。另一方面，面对新时代的新蓝海，也需要抓住机遇加快布局，把握和遵循操作系统技术发展的基本规律，研究和开发新型操作系统技术及系统，并构建新型操作系统生态，从而避免在新一轮发展周期中出现面向"新蓝海"的"缺芯少魂"。

过去十余年，我国在上述两个方面都已经取得了长足的进步。在传统赛道上，国内不少企业以替代国外产品为目标付出了不懈的努力，推出了一系列自主可控的操作系统，逐步追上了国际发展脚步。同时，在新兴操作系统领域，工业界和学术界也在共同努力，正在加快布局，研究和开发新型操作系统技术，构建新型操作系统生态。本章将围绕前文提到的全球操作系统领域的主要方向，系统地梳理我国操作系统研究的发展现状。

## 3.1　非 X86 指令集芯片取得长足进步, 普适的非 X86 操作系统崭露头角

随着国家在芯片领域的自主可控需求, 研发基于开源和永久授权指令集的各类芯片成为了重要发展方向。例如, ARM和RISC-V等正在成为未来云边端设备可统一使用的指令集。指令集的日益统一使得各层的操作系统能够融合管理云边端设备。

例如, 以飞腾、华为为代表的国内研发团队在基于ARM架构的芯片开发方面取得了丰硕的成果, 也有一些研究团队在探索基于RISC-V指令集的芯片设计。面向终端设备, 华为基于ARM架构发布了系列海思芯片, 并集成了自主研发的NPU核心。瑞芯微、全志、晶晨等企业也基于ARM架构设计了面向智能终端的芯片, 主要应用于个人移动设备、汽车电子、机顶盒等设备中。在服务器方面, 飞腾研究团队一直致力于打造基于ARM的服务器CPU, 发布了64核的ARM V8 指令集芯片S2500,同时也发布了适配国产银河麒麟操作系统的桌面芯片。中科院计算所也正在研发基于RISC-V指令集的香山芯片, 其第一版架构"雁栖湖"采用 28nm工艺, 裸片面积 6.6mm$^2$, 单核二级缓存 1MB, 功耗 5W,性能媲美ARM A72/A73。经过多年的积累和发展, 我国在非X86 指令集的终端以及服务器芯片领域取得了长足进步, 国产芯片的泛在化趋势已经凸显。

同时, 面向终端设备(包括物联网设备与嵌入式设备)和服务器, 我国也自主研发了多款架构异构但指令集同构

的芯片，及支持其高效运行的操作系统。

　　在终端设备操作系统领域，睿赛德设计了物联网和嵌入式设备的RT-Thread(Real Time-Thread)实时多线程操作系统，并支持多任务优先级执行和快速切换，是目前国内应用广泛的兼容ARM芯片的国产物联网操作系统，支持ARM、AVR32、MIPS等架构。TencentOS Tiny是腾讯面向物联网设备开发的实时操作系统，提供精简的RTOS (Real-Time Operating System)内核，内核组件可裁剪可配置，可快速移植到多种主流MCU及模组芯片上，其最小内核支持0.6 KB的RAM空间，休眠最低功耗低至 2μA。AliOS Things是阿里发布的AliOS操作系统族的重要组成，主要面向物联网领域，于 2017 年 10 月 20 日正式开源。其主要支持ARM架构芯片，同时也支持Xtensa、AndesCore、Renesas等架构。华为于 2015 年发布了面向物联网的LiteOS，支持ARM、X86 和RISC-V等芯片架构，通过合并MCU与通信模组减小体积降低成本，于 2019 年发布了基于LiteOS的鸿蒙操作系统，以实现端边云的全面互通协同。表 3.1 从多个方面对比了国产面向终端的操作系统。

### 表 3.1　面向终端设备的主流国产操作系统
(基于 2021 年 11 月调研数据)

| | RT-Thread | TencentOS Tiny | AliOS Things | LiteOS | 鸿蒙OS |
|---|---|---|---|---|---|
| 正式发布时间 | 2006 年 | 2019 年 | 2017 年 | 2015 年 | 2019 年 |

|  | RT-Thread | TencentOS Tiny | AliOS Things | LiteOS | 鸿蒙OS |
|---|---|---|---|---|---|
| 内核大小 | 3KB ROM、1KB RAM | 1.8KB ROM、0.6KB RAM | 1KB ROM、2KB RAM | 6KB ROM 2KB RAM | 2MB ROM 128KB RAM |
| CPU架构支持 | ARM、MIPS、X86、Xtensa、C-Sky、RISC-V | ARM、X86、RISC-V、MSP430、AVR、STM8 | ARM、RISC-V、MIPS、C-Sky | ARM、X86、RSIC-V | ARM |

在服务器操作系统领域，由 Linux 衍生的国产操作系统利用 Linux 的开放特性，均能够全面兼容 ARM 芯片。表 3.2 列出了当前的主要国产操作系统。例如，2021 年，在鹏城实验室支持下，运行华为鲲鹏 ARM 芯片和银河麒麟(Kylin)的鹏城云脑连续两年国际 IO500 排名第一，并实现 ARM 芯片系统国际 SPEC Cloud 排名第一。深度操作系统自 2016 年开始支持 ARM 平台，并逐步适配 FT1500A、鲲鹏等系列国产芯片。2019 年，武汉深之度、武汉诚迈等企业合作发起"UOS(Unity Operating System)统一操作系统筹备组"共同打造的中文国产操作系统，并于 2020 年 1 月发布了 UOS 正式版。UOS 基于开源模式研发，能够适配各类架构的国产芯片，包括龙芯、鲲鹏、申威、兆芯、飞腾等各厂商的国产芯片，因此也能够兼容国产 ARM 芯

片。此外，由普华软件研发的普华操作系统也是兼容 ARM 芯片的国产服务器操作系统。中科红旗由中科院软件所 1999 年开始发布，为我国较早的基于 Linux 研制的自主操作系统之一，当前红旗 Asianux 服务器操作系统是其核心产品。为支持适配各类国产芯片，分别发布了红旗 Asianux Server 操作系统(海光版)、红旗 Asianux Server 操作系统(鲲鹏版)、红旗服务器操作系统(飞腾版)等。浪潮 K-UX 操作系统是浪潮 2012 年发布的面向关键应用主机的操作系统，是国内较早通过 UNIX03 标准认证的主机操作系统，支持 X86、ARM、Power、IA64 架构。华为于 2010 年基于 CentOS 自主研发操作系统欧拉 OS(EulerOS)，主要支持鲲鹏处理器，定位于企业级通用服务器 Linux 操作系统发行版，获得国际开放标准组织 Unix03 标准，2019 年将其开源为 OpenEuler。阿里于 2021 年 10 月发布"龙蜥"服务器操作系统并宣布开源，支持 X86、ARM、LoongArch 处理器架构，打造一键迁移和全栈国密能力。腾讯于 2021 年底发布开源服务器操作系统 OpenCloudOS，支持 Intel、AMD、飞腾、鲲鹏、Ampere 等芯片。以 CentOS 替代为契机，国内厂商建立了以欧拉、龙蜥、OpenCloudOS 为代表的开源操作系统社区，服务器上下游厂商积极参与社区建设，发布基于社区构建的服务器操作系统商业版本。借助于开源的力量，我国服务器操作系统迎来新一轮繁荣期。

**表 3.2  面向服务器的主流国产操作系统**
(基于 2021 年 11 月最新发行版调研数据)

| | 麒麟 | 普华 | 红旗 | 深度 | 欧拉 | 龙蜥 | Open CloudOS | K-UX |
|---|---|---|---|---|---|---|---|---|
| 芯片架构支持 | AMD64、ARM、X86、MIPS、LoongArch | ARM、IBM Power、X86、LoongArch | X86、ARM、MIPS、LoongArch | AMD64、X86、ARM、LoongArch | ARM64、X86、RISC-V、LoongArch | ARM、X86、LoongArch | ARM、X86 | X86、ARM、Power、IA64 |
| 国产CPU芯片支持 | 飞腾、鲲鹏、龙芯、申威、海光、兆芯 | 龙芯、申威、兆芯 | 龙芯、申威、鲲鹏、飞腾 | 龙芯、申威 | 鲲鹏、飞腾、申威、龙芯、兆芯 | 龙芯、飞腾、海光、兆芯、鲲鹏 | 飞腾、海光、兆芯、鲲鹏 | 飞腾、海光、兆芯、鲲鹏 |

## 3.2 人网物泛在操作系统逐渐形成突破，有望引领发展潮流

"万物互联、人机交互、天地一体"的人网物融合泛在计算环境正在形成，操作系统正在进入新的发展阶段和新的赛道。随着全球新一轮信息化的快速发展，数字化、网络化、智能化的深度和广度持续增长，信息世界、物理世界和人类社会正不断交叉融合，计算环境不仅包括数据中心(云)、通信网络(网)和智能终端及物联设备(端)的海量异构资源，还涉及社交网络等人类社会关系在信息空间的投

射。操作系统所要管控的资源也从 CPU、内存、外设、文件等传统单机独有的软硬件资源，扩展到网络世界的与人、机、物有关的浩瀚资源，形成了新的计算生态。目前主流的操作系统，无法从根本上支持对这些资源的抽象和管理，需要建立新的计算与系统模型，在纵向上实现应用特征驱动的各类资源的灵活调度及分配，在横向上需要打破"资源孤岛"实现按需互连互通。同时，操作系统还需要支撑不同应用场景的功能性需求，以及效能、时延、安全性、可靠性、隐私保护等非功能性要求，这凸显了对操作系统的可定制、柔性化、可演化的需求，也是对传统操作系统在体系结构和运行机理上的重大变革和挑战。因此，操作系统正在进入全新的发展阶段，面向人网物融合的新型操作系统将是"开疆拓土、换道超车"的发展方向。

　　面向人网物融合的新型操作系统正在蓬勃发展，我国有望在新赛道形成突破，必须抓住机遇，及早布局，特别是重视生态建设。在领域需求和应用场景牵引下，国际上已开始出现人网物融合场景下的新型操作系统雏形。例如，英国的智慧城市(Smart Cities)操作系统、德国的车联网操作系统(VW.OS)。我国也出现了多个面向人网物融合需求的操作系统，比如华为的全场景操作系统"鸿蒙"、京东的智能城市操作系统、西北工业大学的群体智能操作系统 CrowdOS、北京大学工业互联网操作系统"矽璓"等。"矽璓"操作系统(XiUOS，X Industrial Ubiquitous Operating System)架构如图 3.1 所示，目前支持 ARM 和 RISC-V 两种架构的处理器。XiUOS 以"感联知控"的统一协同管控调度为目标，目前已实现了基本的传感和互联功能，更为完善的感联知控能力也在研发中。这些面向人网物融合需求的操作系统均在一定程度上呈现出支持人网物融合泛在计算的新型操作系统的特征,但相应的理论模型、技术架构、应用范式、可信保障等尚未形成系统化认识,技术体系远未成型。因此,要让我国在新一代操作系统上不再受制于人,必须在新"赛道"上占据先机,提前布局,及时进入新"蓝海",避免重蹈传统操作系统被"卡脖子"的覆辙。特别地,良好的生态环境是泛在操作系统发展壮大的必要条件。传统操作系统形成的生态圈屈指可数,基本被先行者所垄断。从历史上看,在操作系统已有"赛道"上还未有"后来居上"的先例。未来的人网物融合泛在计算环境,可接入的物理硬件设备将呈现多样化海量性特征,千亿级

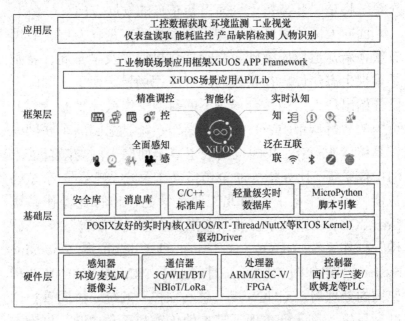

图 3.1　泛在操作系统架构(以矽璓工业物联操作系统XiUOS为例)

计算与物联设备接入管理，多种芯片架构和多种编程框架融合并存，新一代操作系统将呈现众多生态共存的局面。如何与目前已经形成的生态链和产业链实现和谐共存，探索和发展新的生态建设模式，是我国在人网物融合环境下泛在操作系统生态建设的巨大挑战。

　　"软件定义"将成为人网物融合环境下操作系统构造的基本方法学，并不断"泛化"为基础设施建设的技术共识，是我国在操作系统领域的重要突破方向。中国学者在《IEEE 计算机杂志》(*IEEE Computer*)(2018 年元月刊)上发表了题为"走向泛在操作系统(UOS)：一种软件定义的视角"的展望文章，指出面向不同场景的泛在计算模式，需要多样化的泛在操作系统，其核心是异构资源虚拟化和管理功能可编程，基本方法学是软件定义。该文观点得到国际同行的认可，并引起国内学术界和产业界的思考和讨论。具体而言，"软件定义"的概念正在不断"泛化"：首先，将实现从单一资源的按需管控到全网资源的互连互通的跃变，支持纵向全栈式、横向一体化的多维资源按需可编程。其次，软件定义正在向物理世界延伸，在"工业互联网"、"工业 4.0"和"中国制造 2025"的发展蓝图中，软件定义将成为核心竞争力和支撑技术。例如，制造业需要实现"硬件"、知识和工艺流程的软件化，进而实现软件的平台化，为制造业赋予数字化、网络化、定制化、智能化的新属性，并有望为任意物理实体定义新的功能、效能与边界。最后，在 IT 的泛在化并不断向物理世界延伸的基础上，软件定义将向人类社会延伸，通过软件定义的手段，可以为各领域的"虚拟组织"(如家庭、企业、政府等)打造更加高效、智能和便捷的基础设施。例如,"软件定义的城市"不仅将城市中各类信息/物理基础设施开放共享和互连互通,还需要为政务、交通、环境、卫生等社会公共服务部门构造出数据流通交换和业务功能组合的接口,支持这些部门的智能联动,实现动态高效的精细化的城市治理。

## 3.3　国产云操作系统逐步走强,从能用变为好用

如前所述,专门用来进行云计算平台中分布式资源的管理、计算任务的封装与调度、节点的可靠性保证等的运行时系统(如 Kubernetes)一般称为"云计算操作系统"。

国产云操作系统经过十余年的持续发展,应用潜力不断提高,市场份额不断扩大。2009 年阿里云开始运行并提供服务,2013 年腾讯云全面开放,2017 年华为也开始发力云计算领域并取得突飞猛进。2020 年,浪潮云海 OS 实现面向多种处理器架构节点混合部署和调度的一云多芯。其中阿里飞天云操作系统实现了单机群 1 万台服务器的分布式任务部署和监控,同时支持 EB 级的大数据存储和分析能力并兼容大多数生态软件和硬件。该云操作系统经受了世界上最大规模的极限并发场景的考验,成功支撑了"双十一"、12306 春运购票的突发流量。

在技术创新上,我国的云操作系统研究取得了一系列的代表性成果,具体可以分为三个类别,即①面向云的单节点操作系统;②云平台上大规模分布式调度和资源管理系统;③支持云原生的容器和数据库系统。

　　面向云的单节点系统是构建可靠云操作系统的基石。在产业界，阿里云发布了基于 Linux 的龙蜥操作系统(Anolis OS)，运行于阿里云中的各节点上。腾讯云开源了其服务器操作系统 TencentOS 内核，自研了专用的资源调度算法，大幅优化了隔离效果，提升了整机的资源弹性。而华为开发的基于 Linux 的欧拉操作系统具备高安全性、高可扩展性、高性能的特点，能够满足客户从传统 IT 基础设施到云计算服务的需求。在学术界，华中科技大学研究了云环境中虚拟机无法正确感知主机侧资源用量的问题，通过优化 Hypervisor，实现了虚拟机资源的正确感知与性能提升。针对云上多个应用共享同一个物理机的现状，上海交通大学和阿里云联合开发了共享资源隔离系统 Alita[21]，运行于单节点操作系统中，实现单节点上多个应用之间共享资源的完善隔离，避免性能干扰。通过优化虚拟机管理器 Hypervisor，实现云上 IO 虚拟化层的快速重启，支持 IO 设备热拔插，保证大规模云部署环境下的数据的可靠访问。

　　在超大规模场景中如何进行分布式的任务调度和资源分配，也是云操作系统面临的重要问题。国内众多云厂商普遍采用任务调度和资源管理分开进行的方案，比如阿里云开发伏羲计算调度系统[22]以及盘古资源管理系统，腾讯云也研发了支持超大节点规模的 VStation 分布式调度系统。浪潮云海 OS 针对大规模集群高密度、高并发负载均衡问题，实现了基于蒙特卡洛算法及乐观锁的共享状态调度器，在 SPECCloud 基准测试中可扩展性超过 90%，IO 密集和计算密集负载整体性能较业界基准提升 40%。在学术界，北京航空航天大学研究了云操作系统中多个应用混合部署时如何预测性能干扰和影响的问题，实现性能保证的混合部署[23]。华中科技大学深入研究了虚拟机调度策略以及低开销的库操作系统。西安电子科技大学研究了云原生中微服务性能建模方法，并制定了相应的工作流调度算法[24]。国防科技大学研究了如何设计适合云的基础设施互联与构建。上海交通大学在云操作系统中的应用智能容量规划、资源动态隔离和管理、IO 管理栈的高可靠运维、云上加速器的细粒度共享等层面进行了系统性研究[25-27]，技术指标显著优于国外同类技术，并独创了"高积云"概念，对云原生进行了补充和增强。学术界和工业界共同发力，促使我国的云操作系统达到世界先进水平。

在容器技术方面，实现安全且高效的容器以及数据库系统是支持云原生计算的关键。国内开发的袋鼠容器采用硬件虚拟化技术隔离，更精简轻量地实现减小攻击面。同时也构建了 enclave 级的可信执行环境的支持，在保证安全隔离的前提下，减少性能损耗。其容器实例的内存消耗小于 2.5MB，启动速度已经远远小于 500ms，且单机并发创建速度达到了 200 个每秒，满足了云原生业务的快弹、高密等诉求。在实现云原生数据库的高可用、高可扩展、高可迁移方面，国内云厂商也取得了一些一系列成果。腾讯开发了云原生数据库 CynosDB，采用存储计算分离设计，实现数据库自身的高可扩展和高可迁移。支持秒级故障切换和恢复，数据备份时间缩短到 60s 之内，实现高可用。阿里开发了云原生多模数据库 Lindorm，提供各规模、多模型的云原生数据库服务。可兼容 HBase/Cassandra、

OpenTSDB、Solr、SQL、HDFS 等多种开源标准接口。支持海量数据的低成本存储处理和弹性按需付费。华为云出品云原生数据库 TaurusDB，同样采用计算与存储分离、日志即数据的架构设计，数据库计算节点和存储节点之间采用高速网络互联，并通过 RDMA 协议进行数据传输，使得 I/O 性能不再成为瓶颈，性能达到原生 MySQL 的 7 倍。

## 3.4　AI 芯片和 AI 系统互相促进，人工智能系统软件百花齐放

对人工智能芯片和配套支持系统的探索和创造，是抢占新时期计算机领域发展前沿的关键一举。面对着人工智能芯片在峰值性能、能耗、成本方面的蓬勃发展，我国在不断推进人工智能芯片的实用化，从编译框架、性能优化以及运行调度三个方面提供全栈支持，同时也在面向 AI 的专用操作系统方面做出积极探索。如前所述，广义的 AI 操作系统分为两个类别：①高效支持 AI 芯片的操作系统；②类比云计算操作系统，提供专门面向人工智能应用的编程、管理，优化的编程编译框架及运行时系统(如 TensorFlow)。

在人工智能系统编译框架方面，北京理工大学提出了一种基于脚本语言的编程框架，采用了结构化并行与任务并行的编程模型，能够根据硬件设备来描述并行结构从而进行任务调度。2019 年，阿里针对自研 NPU 芯片含光 800 公布了编程模型，为 NPU 资源丰富以及推理算法相对固定的计算任务提供了一套完整的编程基础工具。清华大学提

出了针对神经网络加速器的数据流优化，对于神经网络层内并行性与层间流水线分别开发了数据流，减少了数据重复与内存访问开销、降低了缓冲区需求和流水线延迟。清华大学提出了 Jittor[28]，可以进行高效 JIT 并支持推理和训练，通过动静态图融合方式达到超过常规深度学习框架的性能。2020 年华为提出了 MindSpore 框架，可进行自动代码生成和优化，通过自动调度器和优化原语实现高性能。百度提出了飞桨(PaddlePaddle)框架并提出丰富的开发组件以降低模型开发难度。阿里巴巴和腾讯分别提出的 MNN 和 TNN 推理框架也已经在端侧推理上达到业界先进地位。

在人工智能系统性能优化方面，2020 年北京大学提出了面向张量计算的优化框架 FlexTensor[29]。该框架不需要人工干预，能够自动地优化张量计算程序，结合多种启发式算法与机器学习算法来实现配置优化。2020 年旷视推出天元 MegEngine 深度学习框架，采用了高效的内存优化策略，并支持智能适配设备的算法选择和 JIT。华为提出使用 polyhedral model 的方式自动进行优化[30]。针对昇腾芯片达芬奇架构实现的自动代码优化，超过手工优化水平。北京大学和微软亚洲研究院共同提出 Rammer[19]，通过使用 persistent thread 技术在 GPU 上实现细粒度优化，实现了超过十倍的性能加速。

在人工智能系统运行调度方面，2014 年上海交通大学的学者提出了一种基于渐近剖析的协同调度策略，采用概要分析技术预测性能并据此分配工作负载。2015 年，中国科学院计算所以 MapReduce 编程模型为基础，设计和实现了 Hadoop+这一编程框架，并且在大规模数据、机器学习算法的环境下大幅提升计算性能。阿里自主研发了深度学习框架 X-Deep Learning[31]，针对工业级互联网应用，能够面向超大规模高维稀疏数据场景进行有效的训练。2017 年，清华大学为可伸缩神经网络加速器 TETRIS 设计了调度技术[32]，减少带宽压力，使用 3D 内存的高吞吐量以增加 PE 数量，从而显著提高了 TETRIS 的计算性能并降低了功耗。2018 年，针对 DNN 运行时片外存储访问造成的能耗开销，清华大学提出了数据生存时间感知的神经网络加速框架 RANA[33]，从训练、调度、架构三个层面优化整体的功耗，提升了 AI 芯片的计算效率和性能。一流科技研发的 OneFlow[34]是针对超大规模分布式训练的流式系统，其通过去中心化的调度解决了单点性能瓶颈问题。

## 3.5 智能终端和 IoT 操作系统蓬勃发展

随着现代社会科技水平的持续提高，以智能手机手表、智能家居、智能汽车为代表的智能终端逐渐走进人们的日常生活，作为全球制造业的领头羊，我国在智能终端操作系统方面一直在持续发力。国内智能手机厂商的操作系统大部分基于谷歌公司的安卓操作系统进行二次开发。安卓系统虽然开源，但谷歌公司可以通过限制其服务层 GMS 实现对手机生态的控制。为了实现独立自主，华为公司于 2019 年 8 月正式发布全场景分布式操作系统鸿蒙，自操作系统内核至上层应用框架进行自主创新。该系统可以运行在多种智能移动设备中，如智能手表、智慧屏、智能音箱等。其微内核的结构理念能够让其灵活地根据不同智能移动设备的需求、算力、资源进行弹性适配，启用合适的系统服务。特别地，近几年来智能汽车逐渐成为智能移动操作系统的新应用热点。国内各大互联网企业均在智能汽车操作系统领域有所布局。其中，百度公司开发了小度车载OS，腾讯公司提出了生态车联网系统TAI3.0，而阿里巴巴公司为智能汽车打造了AliOS。其中小度车载OS更是集成了百度公司自主研发的自动驾驶系统Apollo。该自动驾驶系统使用了自研的CyberRT框架替换了传统的机器人操作系统(ROS)，解决了传统机器人操作系统在自动驾驶系统中存在的节点运行时序不确定、不可控通讯开销等问题。具体而言，其采用高性能无锁队列避免竞争导致的性能与时延问题；采用中心化可配置调度解决ROS中的执行时序问题，最终满足自动驾驶的系统需求。这一系列智能汽车操作系统除了构建智能汽车生态、便捷开发者多端部署之外，其同样支持车载系统协同智能手机、IoT智能硬件满足车载智能场景需求。此外，构造智慧车联网、与智慧道路设施协调构建智能交通也是这些智能车操作系统的重点。车联网也为操作系统带来了确定性时延可靠通信、应用智能卸载等核心技术挑战。国产智能汽车操作系统已经得到广泛的部署：百度的小度车载OS已经与包括一汽、宝马、奔驰等二十余家车企达成合作；腾讯公司的TAI3.0已被引入宝马汽车；而AliOS已在上汽荣威、东风雪铁龙等多款车型中部署。

同时，在传统的嵌入式IoT领域，面向未来的应用也对物联网提出了更高的要求，需要它们适应多网融合的环境、具备人工智能软硬件支持、保障计算和数据的安全性。

IoT 操作系统通过开源社区共建、多网融合互联、人工智能赋能、安全增强等手段得以蓬勃发展。首先是大力推进开源社区共建。目前国内的物联网操作系统开发呈现出以开源、中立、社区化为核心的组织形式，孵化出 Lite OS、RT-Thread 等开源项目。国内厂商也在利用自身在开源社区的影响力吸引开发者参与。越来越多的物联网操作系统开始遵循国产开源协议木兰许可证，在国产开源平台 Gitee、Trustie 等进行开源共建。其次是实现了多网融合互联。现代物联网中存在多种网络接入方式，而人网物的协同配合也是物联网建设的重点和难点。国内团队基于网构操作系统和软件定义内存计算系统等方面的长期技术积累，研发了矽璓工业物联操作系统，实现工业领域人网物的深度互联和融合计算。在"中国制造 2025"的国家战略部署下，智能制造领域也涌现出一批企业，推出自研的物联网操作系统和云平台互联的工业级解决方案，如航天云网的 INDICS 云平台等。再次是引入人工智能赋能。在物联网中，终端设备存着智能化的发展趋势，物联网操作系统的设计需要考虑对人工智能的软硬件支持和相关任务的高效调度。各个研究机构都在尝试使用深度学习等人工智能方法为物联网操作系统赋能，构建基于自感知、自学习、自适应、自决策的云端一体智能操作系统和平台架构体系，以促进物联网操作系统在智慧城市、智慧园区、智慧交通中的应用，例如支持语音对话物联网操作系统 DuerOS。最后是保证安全可信稳定。国家可信嵌入式软件工程技术研究中心长期从事基于国产的锐华高安全嵌入式操作系统(ReWorks Cert)的可信计算研究，以提升物联网终端的安全性和可靠性。同时，虚拟化技术可以提高资源利用率、创建安全隔离沙箱，提升系统稳定性、可信性，也因此受到了物联网操作系统研究人员的重视。我国电网企业就在生产中应用了国产云计算服务平台与桌面虚拟化系统，将云端虚拟机桌面映射到嵌入式终端。

## 3.6　量子操作系统萌芽，渐渐形成研究潮流

量子操作系统在国内的发展稍晚于国外，但近年间奋起直追，在学术界和工业界都取得了不少优秀成果。在学术界，2019 年 12 月，中国科学院软件研究所发布了一个较为完整的量子程序设计平台 isQ。国防科技大学在 2020 年 5 月提出了著名量子汇编语言 QASM 的拓展版 eQASM。2021 年 6 月，中科大量子团队发布了 66 量子比特的量子计算装置"祖冲之号"[35]，并且提出了该量子计算系统中涉及的量子操作系统。在工业界，基于之前开源的 AI 框架 MindSpore，华为公司开发了量子-经典混合计算框架 MindQuantum，能够高效地生成量子化学模拟、量子组合优化、量子机器学习等多种变分量子线路。阿里巴巴公司推出了基于阿里云计算平台的量子计算模拟器"太章"和"太章 2.0"，利用了张量网络压缩技术减少了模拟量子计算所需要的经典计算资源。百度公司发布了量子计算系统和量子软件开发工具"量脉"、"量桨"和"量易伏"。腾讯公司提出了一种多核控制结构，可以充分利用不同的处理单元，实现不同子电路间的电路并行，从而提高了控制高并行电路的效率。2021 年 2 月本源量子公司提出了量子操作

系统-本源司南[36]，着重于解决多量子任务的调度问题和自动优化量子比特的质量问题。

## 3.7 操作系统安全持续发力，保持领先态势

在计算共享日益成为现实的今天，保证操作系统的安全性至关重要。我国在操作系统安全方面也取得了重大进展，特别是在针对下一代操作系统的安全方案方面，目前我国处在第一梯队，下面将分为几个层面分别介绍。

下一代 Enclave 技术如火如荼，国产系统正谋求弯道超车。近五年来，可信飞地(Enclave)技术正迅速发展，可信飞地能够保护隐私数据和机密程序免受 OS 或其他恶意特权软件的攻击。由于 Enclave 的高安全特性，其正被广泛运用在云与终端设备中。几乎所有的安卓手机中都有 TrustZone 可信执行环境，以保护指纹识别，数字版权认证等安全模块，比如微软 Azure 采用了 Intel-SGX 来提供机密计算服务，谷歌云采用了 AMD-SEV 技术以提供安全虚拟机。国内的 Enclave 发展也十分迅猛。蓬莱 Enclave[37] 是由上海交通大学自主研发并开源的 Enclave 系统，并且获得 RISC-V 官方的认证，成为了 RISC-V 上的三大主流 Enclave 系统之一。华为研发的 itrustee 获得了 EAL5+认证，并且部署在数以亿计的华为手机等其他终端设备之中，为国产手机安全保驾护航。阿里提出了 SOFAEnclave，面向云原生，将 Kubernetes 和 Enclave 结合，解决了 Enclave 大规模使用以及未来无服务器计算的安全问题。

形式化验证助力系统安全，国产操作系统实现高可靠

性。操作系统作为支撑上层应用运行的基础软件，其可靠性至关重要，近些年随着形式化验证技术的发展，涌现出一些基于形式化方法保障操作系统可靠性的工作。麻省理工学院基于崩溃霍尔逻辑证明了保证崩溃一致性的磁盘文件系统 FSCQ[38]，澳大利亚新南威尔士大学的研究人员形式化验证的微内核操作系统 seL4 不仅可靠性高，IPC 性能甚至超过没有形式化验证过的 zircon、Fiasco.OC 等其他微内核操作系统。在这个方面，国内的高校团队提出的 atomfs[39]工作利用交互式证明工具，形式化验证了细粒度并发文件系统的原子性，有效避免了并发问题；华为自主研发的操作系统鸿蒙的正确性经过形式化验证，获得了 EAL5+认证。

　　使用安全语言重构内核，是国产操作系统的新机遇。传统的操作系统内核基于 C 语言实现，C 的指针也被广泛应用在内核代码之中。然而指针的使用极易导致潜在的内核漏洞，例如使用已经释放的指针(Use-After-Free)以及双重释放(Double-Free)。Rust 作为新兴的安全语言，在拥有和 C 一样的硬件控制能力的同时，大大强化了安全编程能力。Rust 中采用了内存所有者的编程抽象，保证了同一时刻，只有一个所有者能够修改内存中数据；同时，Rust 还对并发与多线程提供了原生支持，保证了并发的安全性。如今，Rust 重写的内核项目蓬勃发展，例如 Redox、rv6、TockOS 等等。同时，Linux 内核也逐步尝试使用 Rust 替换已有的 C 模块，例如 AWS 发布的 Bottlerocker 是专为运行容器而打造的基于 Linux 的开源操作系统，其中包含大量的 Rust 代码。国内的研究团队也提出了诸多基于 Rust 的操作系统，例如教学级 rCore 内核已在部分高校中使用，而用 Rust 重构的轻量级虚拟器监视器在华为等企业中也已经得到了实际部署。

在云操作系统安全领域，我国也通过应用创新与安全硬件双驱动取得了迅猛发展。我国仍处在云计算蓬勃发展的阶段，云服务的整体市场规模(IaaS/PaaS/SaaS)在 2020 年已经达到了 3124 亿美元，并且仍在高速发展。其中阿里云已经持续五年保持全球市场第三的份额，2020 年全球占比接近 10%，腾讯云与华为云也在高速发展。云原生操作系统的安全日渐重要，如何保护用户云端隐私数据是云服务新的发力点。安全沙箱容器是解决云服务中容器隔离的主要手段，然而安全容器依赖于操作系统的绝对可信，同时各类提权攻击层出不穷。国内包括阿里、华为在内的云服务提供商们，依靠新的安全硬件特性，提供可信执行环境、裸金属等多样的云服务。这些技术将大幅增强用户数据与隐私的安全。更进一步地，以 SGX 为代表的可信执行环境能够保证在云服务提供商恶意的情况下仍然保证用户隐私数据不被泄露。阿里云作为国内最大的云服务提供商，提出了用 SGX 保护无服务的方案，在云操作系统安全方面较早布局。

面临井喷式发展的万物互联时代，我国也正在积极布局 IoT 系统安全。随着 5G、AI 的快速发展，我国正步入万物互联的时代，IoT 设备也呈现井喷式的发展。2019 年全球 IoT 市场规模达到 6860 亿美元，万物互联的传输数据规模达到 14ZB，而这一数据预计在 2025 年达到 80ZB。快速发展的 IoT 设备，使得针对 IoT 设备的万物互联操作系

统得到了充分的发展。以鸿蒙操作系统为代表的微内核系
统，以及以 RT-Thread 和 FreeRTOS 为代表的实时系统，逐
渐成为 IoT 操作系统的主流。IoT 设备是数据的采集者以
及数据传播链中的第一环，同时又面临复杂开放的环境，
这对 IoT 系统的安全提出了巨大的挑战。当前 IoT 设备与
系统提供的安全保障较弱，但是以鸿蒙为代表的面向未来
的万物互联系统，采用了微内核设计，结合形式化验证与
可信执行环境，同时采用了端-端加密技术，保证数据安全、
可靠、不泄露地在 IoT 设备之间，以及 IoT 与云端之间高
效、安全地传递。以华为为代表的中国企业，在 AI+IoT
上已做了充分的布局，结合美的、海尔、格力等传统家电
企业，以及海量第三方开发者，正逐步搭建拥有中国自足
知识产权的高效、安全的万物互联的操作系统。

# 第 4 章 我国热点亮点

在成果百花齐放的基础上，我国的操作系统研究逐渐出现了一系列优势热点方向：以鸿蒙为代表的微内核操作系统，以申威为代表的超算操作系统，以阿里的伏羲为代表的云操作系统，以百度的飞桨为代表的人工智能框架系统，以上海交大的 XStore 为代表的 AI 算法增强的操作系统，以 Huawei LiteOS 为代表的物联网操作系统，以及以中科大的"祖冲之号"为代表的量子操作系统等。本章将围绕这些国内研究的前沿方向重点介绍相关亮点成果。

## 4.1 微内核及库操作系统

基于微内核的通用操作系统开发长期以来都是国内的热点研究课题之一。微内核历史悠久，在国内外被广泛应用于关键可靠领域，比如物联网、自动驾驶、工业控制等。作为国内一个里程碑式的研发成果，基于微内核的鸿蒙操作系统可以打破不同设备之间的边界，实现"一次开发，多端部署"，把人、设备、场景进行有机结合，打通手机、电脑、平板、电视、工业自动化控制、无人驾驶、车机设备、智能穿戴等智能终端，实现极速发现、极速连接、硬件互助、资源共享,逐步构建面向万物互联时代的新生态。

如图 4.1 所示，不同于宏内核，微内核中只保留了最为关键的系统服务。大部分系统服务(如文件系统、驱动、网络协议栈等)都被从内核中移出，从而能够灵活地根据不同智能移动设备的需求、算力、资源进行弹性适配，启用合适的系统服务。为了能够在这些智能设备之间高效协同，鸿蒙还支持了包括分布式软总线、分布式任务调度在内的多种新技术。这些技术允许一个设备控制其他设备，并能共享分布在不同设备的数据资源，从而实现全场景的分布式系统，具有按需扩展、低延时、高安全的特点。其中分布式软总线技术为多个智能设备提供了统一的分布式通信能力，实现了小于 20ms 的端到端时延，有效吞吐高达 1.2Gbps，抗丢包率高达 25%。该技术通过对底层不同通信手段与协议(包括蓝牙、WLAN、5G 移动网络)进行抽象，提供了高层级、易使用、高可靠、高吞吐的统一接口。通过使用分布式软总线，分布式应用可以直接调用提供的统一通信接口，无须关心具体硬件连接拓扑结构，即可完成可靠消息传递，大大降低了开发门槛。而分布式任务调度框架则在分布式软总线之上提供了跨智能设备的统一分布式服务管理(包括发现、同步、注册、调用)机制。该机制能够支持跨设备的分布式应用远程启动、调用及迁移等操作。通过该框架，智能应用能够根据不同设备的能力、位置、业务运行状态与资源使用情况，选择最合适的设备同时或分段运行分布式任务。例如，任务可以根据数据产生位置进行迁移，从而实现近数据计算；也可根据具体计算任务算力需求，在多个可用的计算资源中选用最为合适的资源进行迁移，从而保证服务质量；此外，还能同时使用多种设备构建起任务流水线，进一步加速数据的处理。鸿蒙利用确定时延引擎和高性能 IPC，保证高优先级任务对资源的利用，有效降低应用的响应时延。同时，鸿蒙也将形式化验证技术应用于可信执行环境中，保障系统正确性和可信执行环境的安全。华为已经将鸿蒙系统内核及分布式协同框架开源为 OpenHarmony 项目，捐赠给"开放原子开源基金会"。

| 应用层 | 系统应用 | 桌面 | 控制栏 | 设置 | 电话 | …… | 扩展应用/三方应用 |

| 应用框架层 | 系统基本能力子系统集 |||| 基础软件服务子系统集 | 增强软件服务子系统集 | 硬件服务子系统集 |
|---|---|---|---|---|---|---|---|
| | UI框架 / Ability框架 | 用户程序框架 | 多模输入子系统 | 图形子系统 / 安全子系统 / AI子系统 | 事件通知子系统 / 电话子系统 / 多媒体子系统 / DFX子系统 / MSDP&DV子系统 | 智慧屏专有业务子系统 / 穿戴专有业务子系统 / IOT专有业务子系统 | 位置服务子系统 / 生物特征识别子系统 / 穿戴专有硬件服务子系统 / IOT专有硬件服务子系统 |
| 系统服务层 | 分布式任务调度 / 分布式数据管理 / 分布式软总线 / 方舟多语言运行时子系统 | 公共基础库子系统 | | | | | |

| 内核层 | KAL(内核抽象层) ||||| 驱动子系统 |
|---|---|---|---|---|---|---|
| | 内核子系统 | Linux Kernel | LiteOS | …… | | HDF(HarmonyOS驱动框架) |

图 4.1　鸿蒙操作系统架构

此外，服务于教学应用端国产微内核也在不断推出，清华大学的 rCore 是国内较早使用安全编程语言 Rust 的微内核教学系统，获得国家级精品课程。上海交通大学的 ChCore 是国内较早面向 ARM 架构的微内核教学系统，配套自主编写的《现代操作系统：原理与实现》教材，目前已在好大学平台发布。ChCore 目前正在尝试和工业互联网相结合。

此外，我国的库操作系统研究也是方兴未艾，和国外处于"并跑"阶段。库操作系统最早产生于美国麻省理工学院，从 2013 年开始结合云虚拟化开始快速发展，其基本思想是将操作系统抽象直接和应用程序链接在同一地址空间，避免因模式切换导致的性能开销，并提供定制化的操作系统服务。国外比较著名的库操作系统有 Xen 基金会的 Unikraft，以及美国波士顿大学开发的 EbbRT 系统。在国内，库操作系统在机密计算等领域应用甚广。蚂蚁金服的 Occlum 库操作系统将机密计算的开发门槛大幅降低。Occlum 应用开发者无须理解机密计算的二分编程模型，无须修改应用代码，同时可以自由选择编程语言，从而能将开发精力集中在安全应用的编写上。同时，Occlum 使用 Rust 安全类型语言保证单地址空间的内部隔离特性，其库操作系统提供的 POSIX 操作系统抽象使得基于可信执行环境的机密计算能够轻松支持已有应用，方便现有应用在公有云场景下的快速安全部署。此外，Occlum 提供了高效的多进程支持，比国外的 Graphene-SGX 库操作系统在进程启动提速 2 到 3 个数量级，进程间通信的吞吐量提升 3 倍。

推动我国微内核和库操作系统的发展应该从四个方面入手。一是充分建立微内核操作系统的应用生态。我国国产化微内核系统对智能终端、工业控制、自动驾驶、无人机等领域至关重要，应充分推进微内核应用生态的发展，在关键领域提供自主可控可靠的微内核系统生态支持，生态的稳步发展也能推动微内核系统自身的成熟。二是丰富微内核的自身生态。微内核的驱动移植开发、新的体系结构适配都需要大量投入，应继续从政策引导、产业投入、教育驱动角度培养更多微内核系统开发人员，联合上下游企业为微内核的驱动开发、文件系统、通信模块、硬件加速提供配套支持。三是进一步完善库操作系统的工具链发展。着重解决库操作系统的工具链周边支持很不完善(如调试困难)的问题, 同时扩展库操作系统除机密计算以外的应用边界。四是加强推广微内核的教学建设, 为我国发展培养更多操作系统研究和研发人才。

## 4.2  超算操作系统

国产超算操作系统发展颇具特色, 为自主硬件和多样化应用提供了良好的支撑。结点操作系统在高性能计算中具有承上启下的重要作用, 向下支持各类高性能计算硬件设备, 向上支撑多样化应用。近年来, 我国超算操作系统发展一方面面向国产自主硬件设备开展深度适配和优化, 全面发挥硬件效能;另一方面针对多样化应用的不同需求, 构建有良好适应性和扩展性的运行环境支持, 并在一些方面达到了国际先进水平。

操作系统对硬件的支持体现在内存管理、设备管理、进程管理等很多方面。我国高性能计算在通用 CPU 与加速器、互连网络等诸多领域实现了自主可控发展, 为确保这些自主硬件能用好用, 全面发挥计算效能, 国内研制单位对设备驱动程序、进程和内存管理等操作系统模块进行了大量针对性设计。

国防科技大学计算机学院在天河系列超级计算机系统中, 研制了面向高性能计算定制的麒麟操作系统, 实现了面向国产处理器、MT 系列国产加速器的内存管理、软件栈轻量化和高性能线程库等机制, 同时实现了面向自主高速网络的高性能网络协议栈和编程模型, 发挥了软硬件协同设计的优势，确保了硬件性能的极致发挥。此外，针对多样化上层应用，采用容器技术(图 4.2)，为应用程序部署和隔离提供了有力支持。

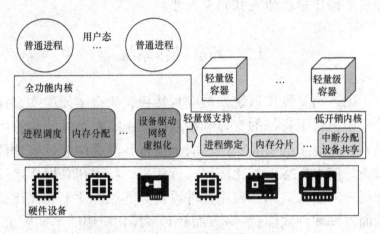

图 4.2　面向 HPC 的轻量级容器技术

国家并行计算机工程技术研究中心在神威系列超级计算机神威太湖之光（峰值性能 3168 万亿次每秒，核心工作频率 1.5GHz）中，采用了国产系统神威睿思操作系统(RaiseOS)。该操作系统基于 Linux 开源代码，主要面向高性能计算和通用计算领域。在通用计算领域，睿思操作系统的优势在于自主可控度高且安全性强，对 Linux 系统内核进行了全面的剖析，进行了安全性增强和特殊改造，结合神威处理器自主指令系统特点和国产处理器新增安全特性，极大提升了基础硬件平台和核心软件系统。在神威系列超级计算机中，我国也研制了系列化的申威操作系统，其架构如图 4.3 所示，全面适配了超级计算机、服务器、台式机等系列产品，支撑构建了完整的申威生态链。面向神威超级计算机系统的申威操作系统，针对国产众核 CPU 片上异构、核心数量多、整机系统规模大等特点，实现了多域融合管理架构、轻量级操作系统、超大规模并行控制模型、多粒度容错与能效控制等，解决了多种异构资源的统一管理，有效屏蔽了国产异构众核处理器和网络芯片组的底层复杂特征，具有高效能、低噪声、可扩展等特点，为用户提供了标准、高效的编程开发和运行控制支持，支撑了整机系统和上层多样化应用的高效运行。

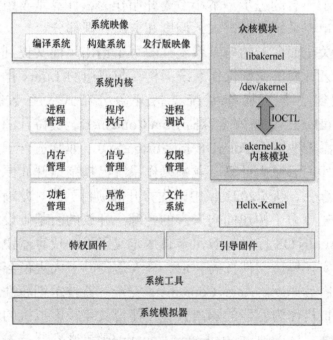

图 4.3　申威操作系统架构

此外，我国自主研发了曙光 6000 超级计算机，其为用户提供从底层机房基础设施，到系统硬件、软件，再到应用软件整合的一体化产品和解决方案，并提供全生命周期的全方位技术服务。该超级计算机采用了"星云"系统，其实测峰值达每秒 1271 万亿次，使其成为实测性能超千万亿次的超级计算机。

## 4.3　云操作系统

我国在云操作系统领域一直在持续发力，在多个方面取得了显著的进步。本小节先介绍作为云计算基本组成单元的单点系统，再进入云调度和资源管理部分。

关于面向云的单点系统，图 4.4 给出了前文提到的由阿里云开发的龙蜥操作系统架构。与普通的 Linux 操作系统相比，龙蜥操作系统支持开源分布式关系数据库 OceanBase，支持安全容器 Kata Containers，支持开源云原生关系型数据库 PolarDB for PostgreSQL，非常适合于支持新一代的云原生计算。龙蜥操作系统已捐赠给开放原子开源基金会，获"2021 年中国优秀开源项目"奖。龙蜥操作系统还致力于构建面向未来的开源、开放的云基础设施技术，Anolis OS 提供的 Nydus 技术定义了下一代容器镜像格式，实现镜像文件按需拉取，极大地提升了大规模容器部署的启动速度。Kata Containers 安全容器技术创新性地利用虚拟机作为容器的隔离方式，使得其兼顾虚拟机的安全隔离和容器的速度。Inclavare Containers 机密容器技术为计算中的数据提供机密性和完整性的保护，同时把机密计算带进云原生时代。龙蜥社区还在运维、调优、迁移、系统测试等方面开发了一系列创新的系统工具，其中 sysAK

(System Analyse Kit)系统诊断工具源自于阿里百万服务器运维经验，针对大规模部署的复杂场景，集线上问题分析诊断、资源监控、故障止血等功能于一体，是一款全栈式系统诊断利器。KeenTune 是一款基于 AI 算法与专家知识库双轮驱动的智能优化产品，为系统及应用提供了轻量化、跨平台的一键式性能调优，并在 WEB、数据库等应用场景中取得显著的性能提升。此外，T-One 为社区提供一站式的自动化质量服务平台，打通了从测试准备、测试执行、测试分析、测试计划、测试报告、覆盖率检测、智能 Bisect、环境服务等流程的闭环，其分布式的架构让多团队开展灵活、紧密的质量协作，有效地保证了社区版本发布的质量。

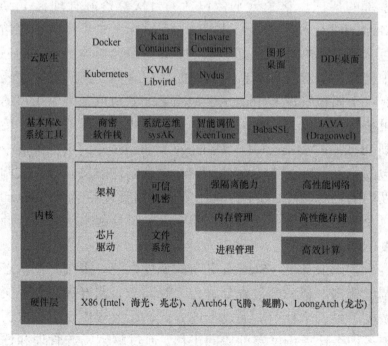

图 4.4　龙蜥操作系统架构

关于云操作系统中的分布式的任务调度和资源分配，阿里云创建的伏羲[22]计算调度系统以及盘古资源管理系统，还有腾讯云开发的VStation分布式调度系统都是突出的工作。

阿里云使用盘古系统进行底层硬件资源的优化分配管理，使用伏羲计算调度系统进行云用户任务的调度和分配。从单一的资源调度器扩展成大数据的核心调度服务，覆盖数据调度(Data Placement)、资源调度(Resource Management)、计算调度(Application Manager)和本地微(自治)调度等多个领域。伏羲计算调度系统将资源的调度和任务调度分离，形成两层架构。图 4.5 给出了伏羲计算调度系统的架构。整个云平台包括一台伏羲资源管理器(Fuxi Master)以及多台 Tubo。其中 Fuxi Master 是集群的中控角色，负责资源的管理和调度；Tubo 是每台机器上都有的一个代理，负责管理本台机器上的用户进程；同时集群中还有一个叫包管理器(Package Manager)的角色，因为用户的可执行程序以及一些配置需要事先打成一个压缩包并上传到 Package Manager 上，Package Manager 专门负责集群中包的分发。Fuxi Master 与 Tubo 这套结构解决了分布式调度中的资源调度，每个计算任务的应用管理器(APP Master)以及一组应用工作进程(APP Worker)组合起来解决任务调度的问题。

腾讯云开发 VStation 分布式调度系统，采用共享状态调度架构。将调度过程分解为资源同步、调度决策和提交调度结果三个环节。通过上述方式，超大规模云中可以实现多种类任务调度器的协同工作。通过解耦资源管理和任

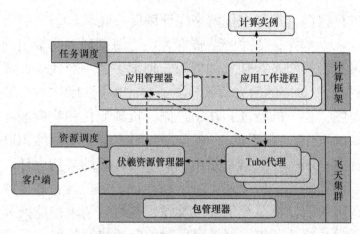

图 4.5 伏羲计算调度系统架构[22]

务调度，显著提高单个云的规模，支持单云规模超过 10
万个物理节点。VStation 分布式调度系统采用共享状态调
度架构，众多调度器采用无锁乐观并发机制、基于全局资
源视图进行调度决策，显著提升了调度器的吞吐率；提交
调度结果保证事务性，保证资源数据的强一致性。总体来
说，调度过程包括资源同步、调度决策和提交调度结果三
个环节。在调度器接收待调度虚拟机后，会先进行资源同
步，以此为数据基础进行调度决策。为了解决腾讯云单个
Region 千万规模造成的明显延迟，VStation 采用私有缓存
和增量更新的方法拉取数据，以把同步数据量减少 95%以
上。在资源同步之后，调度器会在全局资源视图的基础上，
为虚拟机选择合适的宿主机。最后由 VStation 提交调度结
果，会保证资源数据更新的事务性，对调度冲突的处理代
价相比 Google Omega 重新调度的做法显著减小。在公有云
海量并发创建的场景下，VStation 在调度决策和调度吞吐

率进行权衡，选择次优解来保证调度吞吐率。

在学术界，"高积云"概念是由上海交通大学提出的用于提升云操作系统任务和资源管理水平的一个代表性成果。"高积云"对应的云计算架构具有典型的用户侧"高"和提供商侧"积"的特征：在用户侧，负载变化和响应速度需求高(吞吐高、延迟低)；在提供商侧，应用紧凑堆积以提高资源利用率。图 4.6 给出了高积云计算的架构设计。高积云计算解决了构建强实时、高吞吐、快扩展、高鲁棒、高利用的云计算系统的技术难题，在终端请求快速处理、运行时系统低开销、峰值突发时的资源快速扩展、智能的自动容量规划、密集部署时冲突控制、高可靠云上数据存储及管理、服务质量感知的自动故障恢复这 7 个方面都有显著的效果突破。具体而言，该架构通过自适应的请求并行化来加速请求处理，提出了轻量级富容器及其点对点镜像分发实现快速扩展，设计了基于代表性负载的精确容量

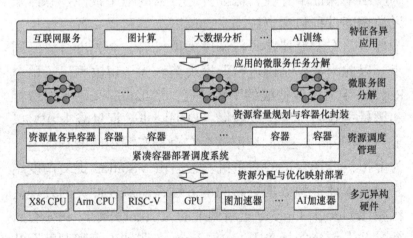

图 4.6　异构高积云计算的架构设计

规划实现资源利用率的提升，针对 CPU 和 GPU 加速器设计了资源隔离机制避免性能冲突。此外，该架构也设计了高可靠的 NVMe 虚拟化系统实现 I/O 的高可用，提出了IaaS(基础设施即服务)结合无服务器计算的应用部署来使资源占用最小化，开发了基于大数据分析的故障识别算法，实现了大规模高积云平台的自动化运维，避免了部分节点异常导致的服务质量降低。

此外，由清华大学牵头，联合华中科技大学、上海交通大学、北京航空航天大学、中国科学院计算技术研究所、阿里云计算有限公司、无锡江南计算技术研究所、国云科技股份有限公司、中国电子科技集团公司信息科学研究院等单位共同研制完成了面向云计算的网络化操作系统(简称云 OS)。系统的架构如图 4.7 所示。

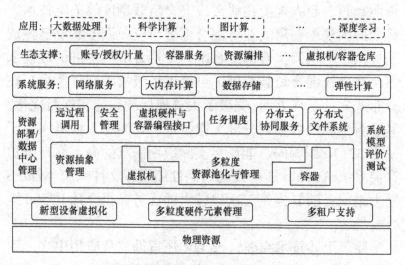

图 4.7　面向云计算的网络化操作系统

面向云计算的网络化操作系统遵循传统操作系统的设

计理念，对下实现了各种计算、存储、网络和其他新型设备等物理资源的抽象；向上提供内存计算、数据存储等系统服务，并进一步实现生态支撑和应用支持服务；中间部分则是操作系统的核心功能。在容器技术方面，突破了容器镜像快速构建与大规模分发、数据中心容器在线迁移、内核级容器自适应视图隔离等关键技术，形成了容器核心技术体系，并应用于阿里云容器平台，提供了具有重要国际影响力的公有云容器服务。在新型设备虚拟化与巨型虚拟机方面，突破了 GPU、FPGA 这类复杂新型硬件的虚拟化关键技术，并适配了中国国产处理器；基于分布式 QEMU 和 KVM 在国际上较早提出了通用 Type II "多虚一"的巨型虚拟机 GiantVM 架构，填补了空白。在多粒度资源池化与管理调度方面，突破了异构资源池化管理优化、分布式资源超售、超大规模在线离线混合负载调度等关键技术，研制的大规模在离线业务混合部署与资源调度系统已经成功应用于阿里云伏羲调度系统，支持万节点集群的规模部署与在离线混合负载调度，可提供秒级故障恢复能力。在分布式文件系统方面，突破了大规模纠删码的实现与优化、基于再生码的数据划分等关键技术，在国际上较早实现了基于 32+16 纠删码、能满足实际应用需求的高可靠自维护存储系统 TStor；所研发的超高性能缓存文件系统 MadFS 助力鹏城云脑 II 连续三次以较大的优势夺得全球 IO500 排行榜榜首。

除了上述技术突破，云 OS 还遵循"从应用中来，到应用中去"的指导方针，归纳抽象得到了一套云 OS API 规范，包括 55 个基础(亦称云 OS 最小内核)API 和 311 个扩展 API; 开发了 API 规范一致性测试工具, 可自动对 API 服务接口及应用场景进行分析, 生成满足覆盖率需求的测试用例并完成评测, 从而确保 API 实现严格遵循规范。目前, 云 OS 最小内核 API 已获阿里云、华为云、浪潮云、中国电科华云等的支持, 支持了异构云平台的构建, 经济和社会效益良好。

## 4.4　面向人工智能的系统框架

通过对传统的操作系统(如 Linux)进行扩展和增强, 可以支持基于 PCIe 总线等方式连接到主机侧的 AI 芯片和 AI 加速器。例如, 可以为 AI 芯片和 AI 加速器开发高性能的驱动和软件库, 以使传统操作系统可以高效支持 AI 芯片和 AI 加速器。在 AI 操作系统领域, 研究和发展更为广泛的则是广义上的第二类 AI 操作系统:提供专门面向人工智能应用的编程、管理, 及优化支持的编程编译框架和运行时系统(如 TensorFlow 等)。

面向人工智能的通用系统框架是进行人工智能技术开发的重要基础, 长期以来也是国内的重要研究热点之一。在国际上, 谷歌的 TensorFlow 和脸书的 PyTorch 是两个主流的深度学习框架: TensorFlow 通过构建静态计算图的方式实现了更高的深度学习计算性能, 在生产环境中被广泛应用, 而 PyTorch 则采用动态计算图的思路, 编程接口更为易用, 被广泛用来快速开发迭代新算法。与此同时, 国内自研通用计算框架也在蓬勃发展, 特别是面向各细分领域的 AI 框架, 取得了很多有全球影响力的亮点成果。

在通用 AI 系统框架方面，学术界与产业界齐头并进。2016 年，百度公司开发了与 TensorFlow 等框架类似的飞桨 (PaddlePaddle)，它是国内较早自主研发、功能完备、开源开放的产业级深度学习平台，集深度学习训练和推理于一体，包含基础模型库、端到端开发套件和丰富的工具组件。清华大学开发了即时编译深度学习框架 Jittor[28]，是一个完全基于动态编译(Just-in-Time)，使用元算子和统一计算图的深度学习框架。元算子和 Numpy 一样易用，且能够实现更复杂高效的操作。而统一计算图则是融合了静态计算图和动态计算图的诸多优点，在易于使用的同时，提供高性能的优化。除了使用通用框架实现端到端的算法开发、模型部署外，还有一部分框架着重于前向推理、模型部署的优化，包括阿里巴巴开发的 MNN 和腾讯开发的 TNN 等。它们都是着眼于高性能、轻量级的 AI 模型推理框架。它们把端设备作为主要的部署目标，一般具备跨平台、高性能、模型压缩、代码裁剪等特性。

如图 4.8 所示，飞桨在提供用于模型研发的基础框架外，还推出了系列工具组件，来支持深度学习模型从训练到推理部署的全流程，降低用户的模型开发和部署难度。针对模型高效训练，飞桨提供了分布式训练组件 FleetAPI 和多任务学习框架 PALM。为实现模型快速部署提供了非常丰富的组件，例如针对服务器部署框架的 Paddle Serving 和针对移动设备部署的轻量化推理引擎 Paddle Lite。Paddle.js 使用 JavaScript(Web)语言部署模型，用于在浏览器、小程序等环境快速部署模型。飞桨还提供了一系列的辅助工具以帮助用户实现模型定制优化，AutoDL 是飞桨自动化深度学习工具，可以自动搜索最优的网络结构与超参数，免去用户在诸多网络结构中人工调参的繁琐工作。PaddleFL 是飞桨联邦学习框架，可以让用户运用外部伙伴的服务器资源训练，但又不泄露业务数据。

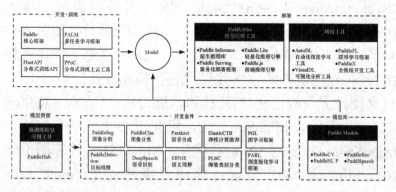

图 4.8　飞桨概览图

　　除了通用 AI 计算框架外，我国针对各个细分领域研发了定制化的 AI 计算框架并在国际上达到先进水平。着眼于端边云场景，国内研发了面向异构芯片的深度学习框架。在端边云的模型训练/推理场景下，移动终端设备往往有低功耗、高性能等需求。如何面向异构终端硬件提供友好的 AI 系统软件支持成为重要的发展方向之一。华为开发了适用于端边云场景的新型开源深度学习训练/推理框架的通用框架 MindSpore。MindSpore 提供了友好的设计和高效的执行，并为昇腾(Ascend)AI 处理器提供原生支持，以及软硬件协同优化。由旷视开发的 MegEngine 中也有同样的理念，其同一套代码可以实现训练以及到 FPGA 的部署，无须像主流通用框架中那样进行从训练模型到部署模型的转化。

图 4.9 给出了 MindSpore 框架的概览。MindSpore 框架总体分为 MindSpore 前端表示层、MindSpore 计算图引擎和 MindSpore 后端运行时三层。MindSpore 前端表示层(MindExpression，ME) 包含 Python API、MindSpore IR(Intermediate Representation，IR)、计算图高级别优化(Graph High Level Optimization，GHLO)三部分。提供下述功能：Python API 向用户提供统一的模型训练、推理、导出接口，以及统一的数据处理、增强、格式转换接口。GHLO 包含硬件无关的优化(如死代码消除等)、自动并行和自动微分等功能。MindSpore IR 提供统一的中间表示，MindSpore 基于此 IR 进行优化。MindSpore 计算图引擎(GraphEngine，GE)包含计算图低级别优化(Graph Low Level Optimization，GLLO)、图执行。GLLO 包含硬件相关的优化，以及算子融合、Buffer 融合等软硬件结合相关

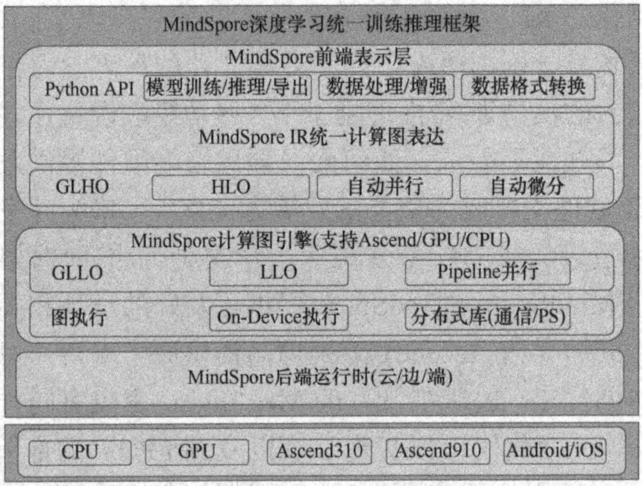

图 4.9　MindSpore框架概览

的深度优化。图执行支持离线图执行、并可以为分布式训练提供所需要的通信接口等功能。MindSpore后端运行时包含云、边、端上不同环境中的高效运行环境。

鹏城实验室和北京大学共同开发的 TensorLayer3.0[40] 能够在一个框架内支持 TensorFlow、MindSpore 和 PaddlePaddle 的兼容运行，大幅度降低应用开发的代码量并兼容多种计算框架。由于各框架之间接口设计实现和调用方式不同，深度学习框架底层算子都存在不小的差异。因此，TensorLayer3.0 设计一套统一的底层算子 API 来规范化各类框架之间的接口差异，能切换多种不同深度学习框架进行模型训练，减少框架间模型迁移需要重构代码的繁琐工作；通过统一编程框架把用户从多种编程框架中隔离出来，使之不需要直接接触到具体的编程框架，同时不能损失开发的灵活性。图 4.10 给出了 TensorLayer3.0 的系统架构，其构建在计算后端 TensorFlow、MindSpore、PaddlePaddle 之上，通过内核接口实现对主流计算框架的算子封装。用户接口层包含神经网络层、数据处理组件、模型训练组件，优化器、代价函数等高层次计算抽象。框架通过统一的 Python 接口层提供编程接口，并对接应用层各类应用。

此外，我国面向超大模型、超大规模的并行分布式训练，也研发了一系列训练框架。随着AI模型逐渐往深往宽发展，训练和模型数据越来越大，以致单一的GPU等加速硬件的内存无法容纳整个模型，让内存墙成为了训练超大模型的瓶颈，并行分布式的模型并行因此成为重要的发展方向之一。OneFlow围绕性能提升和异构分布式扩展，秉

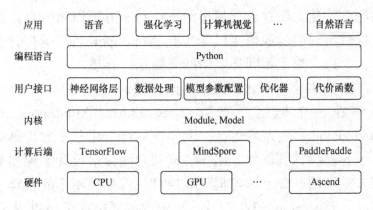

图 4.10　TensorLayer3.0 框架概览[41]

持静态编译和流式并行的核心理念和架构，专门针对深度
学习打造了异构分布式流式系统。阿里公司开发了
AntMan[42]分布式训练框架，着眼于多个训练任务在集群级
别的管理，动态规划他们的资源，包括显存、计算等等，
以此来提高整个训练集群的利用率。另外，现阶段主流的
并行分布式训练中主要采用两种通信架构，参数服务器
和Ring-AllReduce。字节跳动的BytePS[43]着眼于此，利用
训练集群中富余等CPU节点优化通信效率，加快大规模
训练。

　　智能计算系统已经从单点系统向云化和网络化发展，
以GPU超算和GPU云为代表的智算系统运行的是对智能计
算集群进行高效管理和调度的智能云操作系统。智能云操
作系统是云计算和智能计算系统的必然结合，是智能计算
系统云化和网络化发展的趋势。鹏城实验室建设的智能计
算基础设施鹏城云脑是超大规模智能计算系统，具有超算
和云计算的融合特性。其中，已经建成并运行的鹏城云

脑II采用全国产华为昇腾NPU和鲲鹏CPU，峰值混合精度算力达到 1000P。该系统包括集群管理软件和应用系统两个部分，如图 4.11 所示。鹏城云脑智能集群操作系统包含基于云的集群软件和应用系统两个部分。其中集群软件实现对硬件的管理和基本计算服务，应用系统实现对硬件的大型整机服务。集群软件支持计算框架、数据处理、模型开发和模型部署。应用系统实现端边云扩展、智算网络扩展、智能仿真和开源服务等。鹏城云脑的软件架构既保证

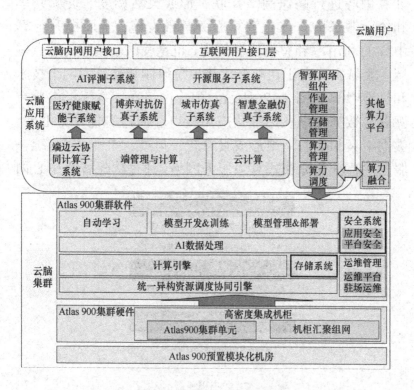

图 4.11 鹏城云脑架构图

了常规的云化服务，又实现了集成度较高的整机应用，并在系统层面实现算力网络和端边云架构的系统弹性扩展。

智算网络操作系统涉及网络、云计算和智能计算系统等多领域，解决跨智算中心分布式通信、跨中心数据安全和共享、同构/异构芯片集群的跨区域作业调度、多中心协同计算方法与机制、多中心安全记账和结算、大型分布式应用框架和算力网络服务模式等关键问题。人工智能算力网络(智算网络)通过分布在不同地域的智能计算中心进行高速网络互联，形成灵活调度、资源共享和统一服务的一体化智算服务基础设施，全面提升智算中心的利用率和整体服务能力，也是我国新基建的重点领域。鹏城实验室正在联合优势单位研制智能算力网络技术和标准[44]，如图 4.12 所示。智算网络操作系统提供节点互联、数据共享和标准化应用接口。通过实现算力汇聚、数据汇聚和生态汇聚形成具有统一运维、统一计算、统一服务的标准化分布式算力服务网络。通过构建智算中心内

图 4.12　智能算力网络技术和标准

部的算力、存储、网络共享技术和中心间的资源共享、协同计算和统一服务机制，实现异地异构分布式一体化计算服务基础设施。

## 4.5　AI 增强的操作系统

随着AI应用领域的不断拓展，借助AI技术构建智能化的操作系统成为了一个炙手可热的研究课题。自 2019 年以来，我国涌现出了一系列具备AI增强功能的操作系统研究成果，在网络通信、存储、调度、数据库等不同的操作系统子领域都取得了瞩目成就。

网络通信系统方面，2019 年，清华大学与快手合作提出了一个基于模仿学习的视频自适应比特率算法Comyco[45]，同时改善了视频串流系统中的服务质量和视频质量，并极大降低了算法的训练时间和训练样本量。2020 年，深圳大学提出了一种基于深度强化学习的在线决策系统NeuroIW[46]用于拥塞窗口初始化，改善了 5G 移动边缘计算场景下的通信延迟。同在 2020 年，上海交通大学为了改善RDMA网络中内存键值存储系统对远程索引的访问瓶颈，使用机器学习系统XStore[47]作为新型索引缓存，在有效节省缓存内存消耗的同时大幅提高了键值存储系统的性能。

图 4.13 展示了XStore中所用的两个关键数据结构XTree和XCache，其中XTree采用B+树数据结构，XCache采取了基于机器学习的缓存策略。该机器学习模型要求叶节点的位置(虚拟地址)始终按键排序，但这对于动态工作

负载几乎是不可能的，因为新插入的叶子节点可能会破坏叶节点的排列顺序。因此，XStore服务器维护一个从逻辑地址到物理地址的叶节点转换表，每个客户端根据需要缓存表的一部分。如图 4.14 所示，客户端可以使用ALN和RDMA注册内存区域的基地址来计算目标叶节点的(主机)虚拟地址。

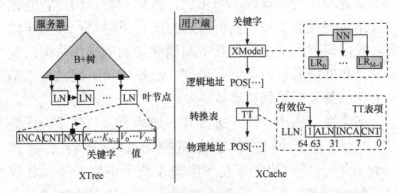

图 4.13　XStore中所用的主要数据结构：XTree和XCache[47]

存储系统方面，2020 年，上海交通大学提出基于机器学习的索引方法Xindex[48]，通过结合细粒度同步和两阶段压缩方案，在不影响查询性能的前提下有效处理并发写，大幅提高了键值存储系统在动态负载下的访问性能。同在 2020 年，浙江大学提出在空间数据存储系统中使用基于机器学习的索引结构LISA[49]替代传统的R-tree，将KNN查询转化为范围查询，从而有效降低了存储开销和查询的IO开销。同年，阿里巴巴基于深度强化学习提出了用于时序数据的双层压缩框架AMMMO[50]，能够根据上下文自动为时序数据选择合适的压缩方案，有效提高了实际使用场景中的数据压缩率。

　　图 4.14 展示了基于深度强化学习的阿里巴巴存储系统中神经网络结构训练和推理过程以及整体的数据流。在深度强化学习的训练阶段，将由总共 $M$ 个块组成的批(每个块有 $N$ 个重复样本)输入深度网络。首先，所有的块通过深度网络并生成 $M \cdot N$ 个候选控制设置。其次，对于控制设置中的每个字段，该系统使用相关概率进行采样以确定其值。然后，计算每个控制设置下的压缩比并计算一个预先定义

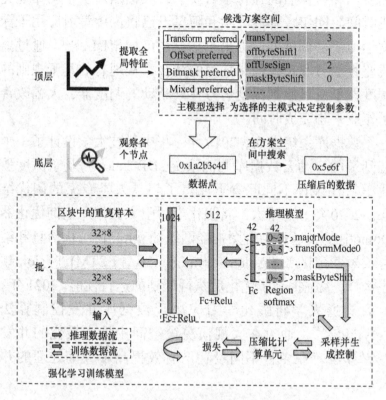

图 4.14　阿里巴巴存储系统中采用的基于深度
强化学习的双层压缩框架[49]

好的训练损失函数。最后，应用反向传播并相应地更新权重。在推理阶段，可以将时间线的单个块、批处理或所有块输入网络，通过网络并为每个块生成控制设置。然后对于生成的控制设置中的每个字段，系统将选择所有块中概率最高的值作为最终设置，达到压缩比的最大化。

调度系统方面，2019 年，清华大学提出基于强化学习的大数据计算集群调度算法Decima[51]，结合新型作业依赖图表示和可扩展的强化学习模型，大幅缩短了平均作业完成时间。同年，香港大学和阿里巴巴将深度学习应用于深度学习集群调度器，提出了集群调度框架DL2[52]，通过离线监督学习和在线强化学习的结合，从现有的基于规则的调度器平滑过渡到深度学习模型驱动的调度器，大幅改善了作业平均完成时间。

数据库系统方面，2019 年，华中科技大学设计了一个端到端的自动云数据库调优系统CDBTune[53]，基于深度强化学习在多种不同配置下取得了超越人类专家的调优结果。2020 年，清华大学将强化学习引入数据库查询优化器Qtune中[54]，通过结合图神经网络捕获join树结构信息和结合长短期记忆(Long short-term memory，LSTM)进行join顺序选择，大幅提高了优化后执行计划的运行性能。2021 年，上海交通大学将强化学习应用于数据库并发控制算法Polyjuice[55]，通过在大规模决策空间中搜索最优的并发控制算法，在多种不同设置下有效提高了查询处理的并发性能。

# 4.6　IoT 及工业互联网操作系统

国内在IoT及工业互联网操作系统方面有着深厚积累。国内开源社区与企业发起和维护了一系列知名的国产物联网操作系统，对IoT和物联网操作系统做出了巨大贡献。RT-Thread是一个集实时操作系统(RTOS)内核、中间件组件和开发者社区于一体的技术平台，具有完全的自主知识产权。如图 4.15 所示，RT-Thread具备一个IoT操作系统所需的所有关键组件，例如GUI、网络协议栈、安全传输、低功耗组件等。其具有易裁剪、易扩展的特性，可适用于不

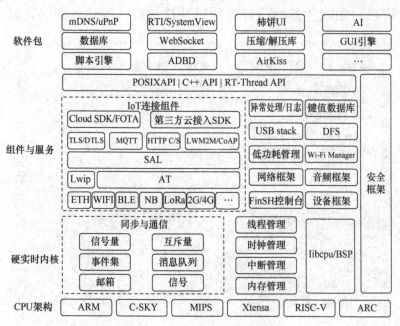

图 4.15　RT-Thread架构框图

同档次的产品，大大增加软件的可复用性，提升开发的效率。RT-Thread目前商用支持所有主流MCU架构，如ARM Cortex-M/R/A，MIPS，X86，Xtensa，C-Sky，RISC-V，几乎支持市场上所有主流的MCU和Wi-Fi芯片。同时被广泛应用于能源、车载、医疗、消费电子等多个行业，累积装机量超过 8 亿台，成为国人自主开发、国内最成熟稳定和装机量最大的开源RTOS。

国内企业也对IoT和工业互联网操作系统有重要贡献。Huawei LiteOS是华为公司针对物联网领域推出的轻量级物联网操作系统，具备轻量级、低功耗、互联互通、组件丰富、快速开发等关键能力。如图 4.16 所示，该系统基于物联网领域业务特征打造领域性技术栈，构建开源的物联

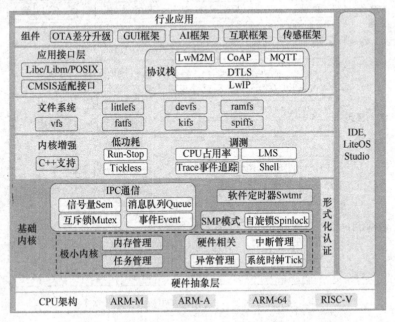

图 4.16　Huawei LiteOS架构框图

网生态，可广泛应用于可穿戴设备、智能家居、车联网、LPWA等领域。客户涵盖抄表、停车、路灯、环保、共享单车、物流等众多行业。Huawei LiteOS支持多种芯片架构，如Cortex-M series、Cortex-R series、Cortex-A series等，可以快速移植到多种硬件平台。除基础内核外，Huawei LiteOS还包含了丰富的组件，提供丰富的网络协议栈以支持多种网络功能，包括CoAP/LwM2M、MQTT等，可帮助用户快速构建物联网相关领域的应用场景及实例。Huawei LiteOS具备高实时性、高稳定性、低功耗的优势，其配套芯片整体功耗可低至μA级。

AliOS Thing是阿里公司开发的轻量级物联网嵌入式操作系统(图 4.17)。面向云端一体化IoT基础设备，具备极致性能、极简开发、云端一体、丰富组件、安全防护等关键能力，并支持终端设备连接到阿里云Link，可广泛应用在智能家居、智慧城市、新出行等领域。AliOS Things以驱动万物智能为目标，可应用于智联网汽车、智能家居、手机、Pad等智能终端。AliOS Things支持多种芯片架构，如ARM、C-SKY、MIPS、RISC-V等。AliOS Things适配了分层架构和组件架构，如图 4.17 所示。所有模块都作为组件的形式存在,通过yaml文件进行配置,对应用程序十分友好。

TencentOS tiny是腾讯面向物联网领域开发的实时操作系统，具有低功耗，低资源占用，模块化，安全可靠等特点(图 4.18)。TencentOS tiny提供精简的RTOS内核，内核组件可裁剪可配置，可快速移植。而且，基于RTOS内核提供了丰富的物联网传输组件，内部集成主流物联网协议栈(如CoAPMQTT/TLS/DTLS/LoRaWAN/NB-IoT等)。

图 4.17 AliOS Things架构框图

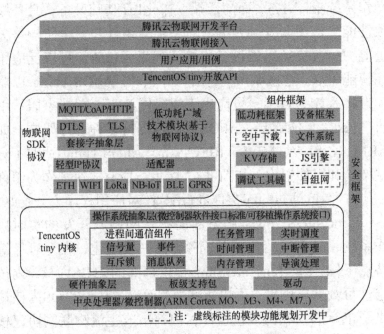

图 4.18 TencentOS tiny架构框图

除了系统功能外，我国IoT系统也在安全领域发力布局。当前IoT设备与系统提供的安全保障较弱，但是以鸿蒙为代表的面向未来的万物互联系统，采用了微内核设计，结合形式化验证与可信执行环境，并采用了端-端加密技术，保证数据在IoT设备间以及IoT设备和云端之间高效、安全地传递。

# 第 5 章  我国未来展望

操作系统是一个包罗万象的宏大领域，推动其在我国的长期健康发展是一个复杂的系统工程，需要从多个方面齐头并进。首先，操作系统的全方位发展既立足于科学理论又依赖于工程实现，所以我们需要在核心理论上重点攻坚打好基础，又要在工程技术上持续发力提供支撑。同时，操作系统的长期稳定发展既需要人才投入又需要产业平台，所以我们需要大力改善人才培养与成长环境，并积极优化重点产业布局，构建人才和产业互相促进的良性循环。

## 5.1  理论层面，加快推进新型计算范式研究，构建可扩展可持续的计算体系

加快研究面向新一代信息技术的计算范式，提前布局操作系统对新应用新技术的支持。充分结合硬件工艺和体系结构长远发展趋势和眼下限制条件，不断探索国产系统软件的特色化优化道路，为从云到端的各类泛在化智能应用提供更深层次更全方位的支撑。鼓励原创探索，构建中国人引领的系统软件理论模型，充分发挥操作系统黏合剂作用，最大化释放国产软硬件的潜力。例如，支持系统的跨层融合和跨平台协作，向下能充分结合国产新型智能计算机硬件的架构特点，向上能良好适应国产AI和大数据计

算编程环境。

　　进一步地，鼓励系统技术千帆并进，充分发挥各类计算范式和操作系统的特色，从多个层面构建和完善可扩展、可持续的计算体系，稳定长久支撑我国数字经济更好更快发展。第一方面，以能源为中心，面向未来各类新型算力基础设施，微观上降低系统单位操作的能源消耗，宏观上适应外部能源供需波动变化。例如，发挥泛在操作系统对各类环境能量的采集利用优势，构建绿色低碳的AIoT万物互联平台。第二方面，以资源为抓手，优化系统内核，在满足用户综合性能需求的前提下，最优化必要资源分配，最小化附加资源开销。例如，对于云端操作系统和高性能计算环境来说，需持续研究大规模异构计算资源的池化机理，流量峰值突变场景的服务质量保障，满足性能吞吐增长需求。第三方面，以智能为引擎，上层软件架构应当具备充分的智能特性，既适应复杂环境也适应新型硬件设备，在应用的持续迭代下具备长期优化能力，在给定能源和资源限制条件下创造最大的价值。例如，应充分发挥基于AI增强的系统的驱动力，探索新型无人系统的存算传协同设计理论，复杂系统智能自主优化等。第四方面，以生态为基石。围绕操作系统形成的计算生态环境决定了现代操作系统的生存和发展。泛在操作系统的发展突破了传统面向单机资源的软件服务模式，向支持云边端的泛在算力资源发展，向用户提供计算机硬件资源透明无感的泛在软件服务。为此，需构建泛在计算生态，推动建设人网物互联的数字化基础设施，助力数字化新生态系统的形成。第五方面，以量子为前驱。量子计算具有巨大的效能潜力，可以为传统计算系统提供战略性补充。量子计算任务和传统计算任务在形态上有显著不同，需要对操作系统的各个层面进行重构和优化。比如，在框架上，要为物化分析、机器学习等各种实际应用提供灵活便捷的量子编程框架支持；在调度上，要分离出任务的经典计算和量子计算部分，并将其分别分配到各自的计算队列中进行调度维护；在执行上，要适配底层硬件，按照目标处理器的结构对任务进行量子比特映射和拓扑电路转换；此外，量子比特会受到环境噪声的扰动，还需要在操作系统层面引入自动化校准以保证计算质量。通过对量子计算机操作系统的前瞻性布局，我国有望实现在量子计算这个全新计算领域的弯道超车。

目前国家已经出台了一系列政策予以支持。例如，科技部、发改委、教育部、中科院、自然科学基金委联合制定了《加强"从0到1"基础研究工作方案》，在其中强调要适应大科学、大数据、互联网时代科学研究的新特点，加强人工智能、云计算和大数据、高性能计算等方面研究。工业和信息化部、中央网络安全和信息化委员会办公室、科技部等八部委则联合印发《物联网新型基础设施建设三年行动计划(2021—2023年)》，要求打造系统完备、高效实用、智能绿色、安全可靠的现代化基础设施体系，推进物联网新型基础设施建设。

## 5.2 技术层面，走出国产自主操作系统优化道路，多维度引领技术发展方向

我国在操作系统领域基础渐厚，未来前景光明。面向

"云物大智移"各类应用，逐步形成了自主可控的系统软件解决方案、技术体系和标准规范。未来需扩大智能操作系统、泛在操作系统等方面的领先优势，同时在主机操作系统、个人操作系统、移动操作系统方面持续发展和完善，关键是追求五个维度：极致性能、极高稳定、极优效率、极速开发、极简使用。

①极致性能方面，面向未来资源密集型的在线或离线应用，进一步突破性能瓶颈，尤其是能应对更加复杂多变、粒度精细的负载执行场景，在资源受限情况下依然能够满足云边端各类智能服务对极致响应速度和高吞吐率的需求。②极高稳定方面，将可靠性可用性作为系统软件设计核心，有效支撑智能制造业、航天航空、医疗健康等领域的"任务攸关"型应用，不断改善系统的应变能力，强化系统的柔韧性。③极优效率方面，立足应用形态特征，兼顾能源冷源、网络通信、时空效率等要素和限制条件，在满足服务质量情况下以绿色低碳设计为先，鼓励探索非传统的节能减排IT技术，优化软硬件系统可持续发展。④极速开发方面，面向云原生和下一代应用场景，构建先进的技术合作平台和工具链，形成具有我国产业特征的敏捷开发模式，以数据和智能为驱动，赋予业务快速迭代能力，促进技术稳健发展。⑤极简使用方面，着眼于软件服务全生命周期的智能化管理，扩充人机交互手段，降低系统运维门槛，以服务质量QoS为中心，不断优化用户体验，保障业务的连续性，形成良好的技术亲和性，打造国产操作系统品牌效应。

## 5.3 生态层面，打通上下游，优化系统研发环境

推动我国操作系统领域的发展，亟须为科研人员打造出良好的生态条件，引导他们百舸争流，创造出百花齐放的基础成果。

一是重视技术源头。引导科教研用各单位提升知识产权管理水平，围绕软硬件核心关键领域推动实施一批重点专利导航项目，优化关键技术自给率，为"金点子"技术提供良好的孵化环境。加强软件系统领域高质量专利保护，补齐高端和基础软硬件标准体系的短板，协调构建一批活跃的开源社区。进一步地，探索"专利+标准+开源社区"协同发展模式，形成技术创新的正反馈。

二是加强人才教育。唯有栽好人才这棵"苗"才有行业发展的"根深叶茂"，须引导高校和企业探索制定基础软硬件系统人才培养优先扶持政策。遵循人才培养规律，强调循序渐进、螺旋上升的教育理念，打造基础坚实、创新力强的创新队伍，激活社区对系统软件人才的促进作用，探索教学、实习、竞赛、创业混合式发展。面向国际学术教育前沿，加速教材知识体系更新，结合我国产业需求和教学特点，建设并升级操作系统和体系结构方面的经典中文教材；在大数据中心体系结构、云计算操作系统、物联网泛在基础设施等新兴领域建设一批领悟深、视野广的高水平教材。

三是鼓励交叉融合。充分促进产学研用交流，在高校

和企业间构建顺畅的合作渠道，打造人才良性流动的"双向旋转门"，确保各领域研发栈中的不同类型人才术业专攻、各得其所，以人才的活水激发产业的活力。引导软硬件技术开发与社区应用场景深度结合，探索计算机系统相关学科与应用学科之间的跨学科沟通，并面向未来复杂计算场景全方位增强工程伦理教育和实践；形成更多如"木兰开源社区、OpenI启智社区"的多元化开源技术创新平台，促进国家科技创新成果开源共享，推动开源成果转化落地。例如，在国家新一代人工智能发展战略背景下，OpenI启智社区汇聚了鹏城实验室、北京智源人工智能研究院、北京大学、国防科技大学、北京航空航天大学等顶尖科研院校，及华为、百度、旷视、微众银行、商汤等人工智能领域领军企业，以"开源＋标准"双轮驱动的方式推进我国人工智能根技术生态建设。在鹏城云脑科学装置的支持下，从基础设施、软件环境、算法框架、算法模型与应用开发部署等多维度构建人工智能开源技术体系。

## 5.4　产业层面，完善产业链，抢抓产业革命机遇

整体来看，要进一步改善系统软件技术体系和产业形态，提升优势补足短板，推进科技创新与商业模式创新相结合，为我国计算产业迈向中高端增添发展新动能。发挥新技术潜力，支持产业发展和转型升级，支撑制造强国和数字经济发展。加速形成以核心自主操作系统为中坚力量的产业生态体系和具有全球竞争优势的云计算与大数据产

业集群。

一是要确立关键行业牵引。需面向下一代IT细分行业培育一批龙头企业，形成行业牵引效应。例如，随着人网物互联成为未来信息技术的典型应用场景，系统软件创新研发和生态构建出现新的热点。华为将欧拉开源项目捐赠给开放原子开源基金会，则是我国抢占万物互联时代发展先机的一次有益的尝试。未来当进一步以开源的智能泛在操作系统为抓手，推动面向人网物三元空间的即时数据处理和数据融合应用创新，鼓励企业在信息物理融合系统、智慧城市大脑、车载智能系统等方面建设新高地，筑牢经济社会发展的"数字底座"。

二是要促进产业联动发展。鼓励企业在各特色化领域各施所长，发挥产业结构互补能力，探索新产业新业态新模式，催生新的经济增长点。从"四个面向"出发，鼓励科研院所和企事业单位联合申报重大科研项目，超前布局重大科技研究。例如，未来须解决数字底座建设过程中数据难以互通共享的根本难题，确保数据所依赖的基础架构的安全性和韧性。同时应丰富功能组件、强化安全防护等关键能力，结合联邦学习、区块链技术、虚拟/增强现实技术等诸多前沿科技，探索把技术广泛应用于智能硬件、智能家居、智慧城市、新出行等领域，攻坚全球卫生健康领域的重大科学挑战，支撑药物研发和疾病防控等重大战略和社会需求。

# 致　谢

　　作为中国工程院《中国电子信息工程科技发展研究》中的一个专题——《操作系统专题》，几经修改，终于成稿了。回想起撰写过程中的点点滴滴，深感要写好一篇综述性的专题发展研究报告，实属不易。囿于作者水平，难免挂一漏万。幸得余少华院士、众位同行学者的赐教和帮助方能付梓。在此笔者对在本书写作过程中提供过帮助的各位老师和同学表示由衷的感谢！

　　本专题由余少华院士策划、安排与组织，由过敏意教授实施完成。在撰写过程中得到曾德泽、孙晓明、刘譞哲、董勇、孔令和、糜泽宇、李超、冷静文、陈晨等学者的帮助并撰写了部分章节。初稿完成后，余少华院士反复修改了书稿，陈左宁院士、卢锡城院士审阅了书稿并提出了宝贵的意见和建议，浪潮集团四位专家也专门提出了修改意见，在此一并表示衷心感谢！

作者：过敏意　陈全

# 参 考 文 献

[1] Li Z, Guo L, Cheng J, et al. The serverless computing survey: A technical primer for design architecture[J]. ACM Computing Surveys (CSUR), 2021.

[2] Agache A, Brooker M, Iordache A, et al. Firecracker: Lightweight virtualization for serverless applications[C]//17th Usenix Symposium on Networked Systems Design and Implementation (NSDI 20). Santa Clara, CA , 2020: 419-434.

[3] Choi S, Shahbaz M, Prabhakar B, et al. λ-NIC: Interactive serverless compute on programmable SmartNICs[C]//2020 IEEE 40th International Conference on Distributed Computing Systems (ICDCS). IEEE, Singapore, 2020: 67-77.

[4] Daw N, Bellur U, Kulkarni P. Speedo: Fast dispatch and orchestration of serverless workflows [C]//Proceedings of the ACM Symposium on Cloud Computing. Virtual Event, 2021: 585-599.

[5] Shahrad M, Fonseca R, Goiri Í, et al. Serverless in the wild: Characterizing and optimizing the serverless workload at a large cloud provider[C]//2020 USENIX Annual Technical Conference (ATC 20). Virtual Event, 2020: 205-218.

[6] Oakes E, Yang L, Zhou D, et al. SOCK: Rapid task provisioning with serverless-optimized containers[C]//2018 USENIX Annual Technical Conference (ATC 18). Boston, MA, 2018: 57-70.

[7] Akkus I E, Chen R, Rimac I, et al. SAND: Towards high-performance serverless computing [C]//2018 USENIX Annual Technical Conference (ATC 18). Boston, MA, 2018: 923-935.

[8] Jia Z, Witchel E. Nightcore: Efficient and scalable serverless computing for latency-sensitive, interactive microservices[C]//Proceedings of the 26th ACM International Conference on Architectural Support for Programming Languages and Operating Systems. New York, 2021: 152-166.

[9] FaaSFlow[EB/OL]. https://github.com/lzjzx1122/FaaSFlow [2022-02-14].

[10] Chen T, Du Z, Sun N, et al. Diannao: A small-footprint high-throughput accelerator for ubiquitous machine-learning[J]. ACM SIGARCH Computer Architecture News, 2014, 42(1): 269-284.

[11] Du Z, Fasthuber R, Chen T, et al. ShiDianNao: Shifting vision processing

closer to the sensor[C]//Proceedings of the 42nd Annual International Symposium on Computer Architecture. Portland, OR, 2015: 92-104.

[12] Chen Y, Luo T, Liu S, et al. Dadiannao: A machine-learning supercomputer[C]// 47th Annual IEEE/ACM International Symposium on Microarchitecture. IEEE, Cambridge, 2014: 609-622.

[13] Liu S, Du Z, Tao J, et al. Cambricon: An instruction set architecture for neural networks[C]// 2016 ACM/IEEE 43rd Annual International Symposium on Computer Architecture (ISCA). IEEE, Seoul, 2016: 393-405.

[14] Chen Y, Joel E, Vivienne S. Eyeriss: A spatial architecture for energy-efficient dataflow for convolutional neural networks[J]. ACM SIGARCH Computer Architecture News, 2016, 44(3): 367-379.

[15] Jouppi N P, Young C, Patil N, et al. In-datacenter performance analysis of a tensor processing unit[C]//Proceedings of the 44th Annual International Symposium on Computer Architecture. Toronto, ON, Canada, 2017: 1-12.

[16] Silver D, Schrittwieser J, Simonyan K, et al. Mastering the game of go without human knowledge[J]. Nature, 2017, 550(7676): 354-359.

[17] Silver D, Hubert T, Schrittwieser J, et al. A general reinforcement learning algorithm that masters chess, shogi, and go through self-play[J]. Science, 2018, 362(6419): 1140-1144.

[18] Chen T, Moreau T, Jiang Z, et al. TVM: An automated end-to-end optimizing compiler for deep learning[C]//13th USENIX Symposium on Operating Systems Design and Implementation (OSDI 18). Carlsbad, CA, 2018: 578-594.

[19] Ma L, Xie Z, Yang Z, et al. Rammer: Enabling holistic deep learning compiler optimizations with rTasks[C]//14th USENIX Symposium on Operating Systems Design and Implementation (OSDI 20). Virtual Event, 2020: 881-897.

[20] Chong F T, Diana F, Margaret M. Programming languages and compiler design for realistic quantum hardware[J]. Nature, 2017, 549(7671): 180-187.

[21] Chen Q, Xue S, Zhao S, et al. Alita: Comprehensive performance isolation through bias resource management for public clouds[C]//SC20: International Conference for High Performance Computing, Networking, Storage and Analysis. IEEE, Atlanta, GA, 2020: 1-13.

[22] Zhang Z, Li C, Tao Y, et al. Fuxi: A fault-tolerant resource management and job scheduling system at internet scale[C]//Proceedings of the VLDB

Endowment. Hangzhou, 2014, 7(13): 1393-1404.

[23] Yang H, Chen Q, Riaz M, et al. Powerchief: Intelligent power allocation for multi-stage applications to improve responsiveness on power constrained cmp[C]//Proceedings of the 44th Annual International Symposium on Computer Architecture. Toronto, ON, 2017: 133-146.

[24] Bao L, Wu C, Bu X, et al. Performance modeling and workflow scheduling of microservice-based applications in clouds[J]. IEEE Transactions on Parallel and Distributed Systems, 2019, 30(9): 2114-2129.

[25] Zhang W, Zheng N, Chen Q, et al. Ursa: Precise capacity planning and fair scheduling based on low-level statistics for public clouds[C]//49th International Conference on Parallel Processing-ICPP. Edmonton, AB, 2020: 1-11.

[26] Xue S, Zhao S, Chen Q, et al. Spool: Reliable virtualized NVMe storage pool in public cloud infrastructure[C]//2020 USENIX Annual Technical Conference (USENIX ATC 20). Virtual Event, 2020: 97-110.

[27] Zhang W, Cui W, Fu K, et al. Laius: Towards latency awareness and improved utilization of spatial multitasking accelerators in datacenters[C]// Proceedings of the ACM International Conference on Supercomputing. Phoenix AZ, 2019: 58-68.

[28] Hu S M, Liang D, Yang G Y, et al. Jittor: A novel deep learning framework with meta-operators and unified graph execution[J]. Science China Information Sciences, 2020, 63(12): 1-21.

[29] Zheng S, Liang Y, Wang S, et al. Flextensor: An automatic schedule exploration and optimization framework for tensor computation on heterogeneous system[C]//Proceedings of the 25th International Conference on Architectural Support for Programming Languages and Operating Systems. New York, NY, 2020: 859-873.

[30] Zhao J, Di P. Optimizing the memory hierarchy by compositing automatic transformations on computations and data[C]// 53rd Annual IEEE/ACM International Symposium on Microarchitecture (MICRO). Athens, Greece, 2020: 427-441.

[31] Jiang B, Deng C, Yi H, et al. XDL: An industrial deep learning framework for high-dimensional sparse data[C]//Proceedings of the 1st International Workshop on Deep Learning Practice for High-Dimensional Sparse Data. New York, NY, 2019: 1-9.

[32] Gao M, Pu J, Yang X, et al. Tetris: Scalable and efficient neural network acceleration with 3d memory[C]//Proceedings of the 22nd International Conference on Architectural Support for Programming Languages and Operating Systems. Xi'an, 2017: 751-764.

[33] Tu F, Wu W, Yin S, et al. RANA: Towards efficient neural acceleration with refresh-optimized embedded DRAM[C]//2018 ACM/IEEE 45th Annual International Symposium on Computer Architecture (ISCA). IEEE, Los Angeles, California, 2018: 340-352.

[34] Yuan J, Li X, Cheng C, et al. OneFlow: Redesign the distributed deep learning framework from scratch[J]. arXiv preprint arXiv:2110.15032, 2021.

[35] Wu Y, BaoW, Cao S, et al. Strong quantum computational advantage using a superconducting quantum processor[J]. Physical Review Letters, 2021, 127(18): 180501.

[36] Kong W, Wang J, Han Y, et al. Origin pilot: A quantum operating system for efficient usage of quantum resources[J]. arXiv preprint arXiv: 2105. 10730, 2021.

[37] Feng E, Lu X, Du D, et al. Scalable memory protection in the PENGLAI enclave[C]//15th USENIX Symposium on Operating Systems Design and Implementation (OSDI 21). Virtual Event, 2021: 275-294.

[38] Chen H, Chajed T, Konradi A, et al. Verifying a high-performance crash-safe file system using a tree specification[C]//Proceedings of the 26th Symposium on Operating Systems Principles. Shanghai, 2017: 270-286.

[39] Zou M, Ding H, Du D, et al. Using concurrent relational logic with helpers for verifying the AtomFS file system[C]//Proceedings of the 27th ACM Symposium on Operating Systems Principles. Shanghai, 2019: 259-274.

[40] Lai C, Han J, Dong H. Tensorlayer 3.0: A deep learning library compatible with multiple backends[C]//2021 IEEE International Conference on Multimedia & Expo Workshops (ICMEW). Chengdu, 2021.

[41] Dong H, Supratak A, Mai L, et al. Tensorlayer: A versatile library for efficient deep learning development[C]//Proceedings of the 25th ACM International Conference on Multimedia, 2017: 1201-1204.

[42] Xiao W, Ren S, Li Y, et al. AntMan: Dynamic scaling on GPU clusters for deep learning[C]//14th USENIX Symposium on Operating Systems Design and Implementation (OSDI 20). Virtual Event, 2020: 533-548.

[43] Jiang Y, Zhu Y, Lan C, et al. A unified architecture for accelerating distributed

{DNN} training in heterogeneous GPU/CPU clusters[C]//14th USENIX Symposium on Operating Systems Design and Implementation (OSDI 20). Virtual Event, 2020: 463-479.

[44] 中国科学技术信息研究所、新一代人工智能产业技术创新战略联盟、鹏城实验室. 人工智能计算中心发展白皮书 2.0——从人工智能计算中心走向人工智能算力网络[R], 2021.

[45] Huang T, Zhou C, Zhang R X, et al. Comyco: Quality-aware adaptive video streaming via imitation learning[C]//Proceedings of the 27th ACM International Conference on Multimedia. Chengdu, 2019: 429-437.

[46] Xie R, Jia X, Wu K. Adaptive online decision method for initial congestion window in 5G mobile edge computing using deep reinforcement learning[J]. IEEE Journal on Selected Areas in Communications, 2019, 38(2): 389-403.

[47] Wei X, Chen R, Chen H. Fast RDMA-based ordered key-value store using remote learned cache[C]//14th USENIX Symposium on Operating Systems Design and Implementation (OSDI 20). Virtual Event, 2020: 117-135.

[48] Tang C, Wang Y, Dong Z, et al. XIndex: A scalable learned index for multicore data storage[C]//Proceedings of the 25th ACM SIGPLAN Symposium on Principles and Practice of Parallel Programming. Dallas, TX, 2020: 308-320.

[49] Li P, Lu H, Zheng Q, et al. LISA: A learned index structure for spatial data[C]//Proceedings of the 2020 ACM SIGMOD International Conference on Management of Data. Portland, OR, 2020: 2119-2133.

[50] Yu X, Peng Y, Li F, et al. Two-level data compression using machine learning in time series database[C]//2020 IEEE 36th International Conference on Data Engineering (ICDE). IEEE, Dallas, TX, 2020: 1333-1344.

[51] Fan Y, Lan Z, Childers T, et al. Deep reinforcement agent for scheduling in HPC[C]//2021 IEEE International Parallel and Distributed Processing Symposium (IPDPS). Portland, OR, 2021: 807-816.

[52] Peng Y, Bao Y, Chen Y, et al. Dl2: A deep learning-driven scheduler for deep learning clusters[J]. IEEE Transactions on Parallel and Distributed Systems, Portland, OR, 2021, 32(8): 1947-1960.

[53] Zhang J, Zhou K, Li G, et al. CDBTune: An efficient deep reinforcement learning-based automatic cloud database tuning system[J]. The VLDB Journal, 2021, 30(6): 959-987.

[54] Li G, Zhou X, Li S, et al. QTune: A query-aware database tuning system with

deep reinforcement learning[C]//Proceedings of the VLDB Endowment, 2019, 12(12): 2118-2130.

[55] Wu T, Ribeiro M T, Heer J, et al. Polyjuice: Generating counterfactuals for explaining, evaluating, and improving models[J]. arXiv preprint arXiv: 2101.00288, 2021.